# Manualidades

**Dirección editorial:** Tomás García Cerezo
**Editora responsable:** Verónica Rico Mar
**Coordinador de contenidos:** Gustavo Romero Ramírez
**Traducción:** Ediciones Larousse, S.A. de C.V., con la colaboración de Montserrat Estremo Paredes y Daniel Castillo Reynoso
**Asistencia editorial:** Montserrat Estremo Paredes y Alejandro González Dungla
**Formación:** Ana Rosa Chacón Urióstegui
**Portada:** Ediciones Larousse, S.A. de C.V., con la colaboración de Rocío Caso Bulnes

**EDICIÓN ORIGINAL**
**Editora:** Catherine Saunders
**Diseño:** Jonathan Vipond y Marisa Renzullo
**Ilustración:** Geraint Ford y Barry Croucher
**Fotografía:** Michael Wicks
**Autora:** Danielle Lowy
**Título original:** Craft smart

Primera edición 2013
QED Publishing, una compañía de grupo Quatro
230 City Road
Londres EC1V 2TT
Copyright© QED Publishing 2013
ISBN 978 178171 097 5

© 2013 Ediciones Larousse, S.A. de C.V. Renacimiento #180, Colonia San Juan Tlihuaca, Delegación Azcapotzalco, C.P. 02400, México, D.F.
ISBN 978 607 21 0791 5
Primera edición, octubre 2013

**Créditos fotográficos**
(a=arriba, ab=abajo, i=izquierda, d=derecha, c=centro, p=portada co=contraportada)
**Shutterstock:** Africa Studio, 42ad, 49d, 63ad, 66r; Albo003, 35ab; Alexandr Makarov, pi; Andrey_Kuzmin, 46a; April70, 56abi; bengy, 51abi; Bennyartist, 67, 69, 71, 73, 75, 77, 79, 81, 83, 85, 87, 89; Blacknote, 56ad; bociek666, 34abd; CLM, 70ad, 90ai, 90d, 102d; Crepesoles, p; cristi180884, 62d; DenisNata, 10ad; design56, 14c; Diana Taliun, 68abi; dogboxstudio, 78ad; Dulce Rubia, 40ab; Elena Itsenko 18d; elen_studio, 51abd; Evyatar Dayan, 46ad; Fen Yu, 63i; Garsya, p, 34d; Getideaka 6ad; gorillaimages, 51abc; Hein Nouwens, 44c; holbox, 51abc; Homydesign, 35ai; Horiyan, 35ac; Iakov Filimonov, 68d, 80ad; IDAL, 98c; Ilya Akinshin, 72i; infografick, 6i; Ingvar Bjork, 54cd; Irina Nartova, p, 8, 11, 13, 15, 17, 19, 21, 23, 25, 27, 29, 31, 33; Iryna1, 115d; Ivancovlad, 112i; Iwona Grodzka, p; jabiru, p, 7abd; jeka84, 77ad; Jim Hughes, 62ad, 86ad; Jiri Hera, 51abc; KariDesign, 34abc; Katrina Leigh, 52a, 53ad; Kitch Bain, pi; Konstanttin, 35abi; kuma, 78ai, abi; kzww, 90ad; Larina Natalia, 3ac; Luis Carlos Jimenez del rio, 34ad; MaPaSa, p; Madlen, 46, 98a, 112d; magicoven, 7ab, 63ab; Magnia 56abd; Mighty Sequoia Studio, 6abi; s1001, 6ab; Nattika, pi, cpci, 62abd; NinaMalyna, p; Odua Images, p; oksana2010, 34i; oksix, 62i; olga.lolipops, 35abi; OlyaSenko, 90–118 abi/abd; optimarc, p; PhotoHouse, p; Picsfive, p, 100c; pukach, p, 40c, 55d, 58ad; S1001, 34abi; s73, 92, 95, 97, 99, 101, 102, 107, 109, 111, 113, 115, 117; Shutswis, 34ac, 42cd; Sirikorn Techatraibhop, 7dc; Skazka Grez, 6abd; SmileStudio, 7ai; spillikin, 14d; steckfigures, 56abc; Tatiana Volgutova, 74d; Thomas Klee, 108d; Vaclav Mach, 63d; valzan, p; Veronika Mannova, 35ad; Victorian Traditions, 35abi; victoriaKh, 100dc; violetblue, 30d; Vodoleyka, 106d, 110d; Vysokova Ekaterina, 102c; YaiSirichai, 6.

En la parte superior izquierda de cada actividad encontrarás los siguientes símbolos que te indicarán cuál es su grado de dificultad:

**Rápido y sencillo**
Si eres principiante, este tipo de actividades son ideales para ti. Es muy sencillo realizarlas.

**Mejora tus habilidades**
Este tipo de actividades son ligeramente complicadas, aunque una vez que domines tus habilidades como principiante te parecerán sencillas.

**Alístate para un reto**
Estás a un paso de convertirte en experto. Dedica el tiempo necesario en este tipo de actividades para afinar tus habilidades.

**Nivel experto**
Para elaborar estas obras maestras necesitarás ser todo un experto en manualidades.

**Nota para los adultos:**
Algunos niños podrán elaborar casi todas las actividades ellos mismos; sin embargo, algunos pequeños necesitarán un poco de ayuda. Al realizar usted con los niños las manualidades propuestas en este libro evitará accidentes, a la vez que será una excelente oportunidad para compartir con ellos momentos de diversión.
Todas las actividades propuestas en este libro son seguras para los niños. Cuando alguna instrucción pudiera ser complicada para un niño, se hace hincapié en la necesidad de que usted intervenga. La editorial no se hará responsable en caso de ocurrir algún accidente.

# Manualidades

LAROUSSE

# Contenido

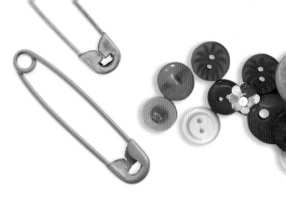

## Papel

## Reciclaje

## Joyería

# Tejido

# Materiales

papel para origami

## Papel de China

Este delgado papel es ideal para obtener figuras delicadas como flores o pétalos; o para realizar la técnica de decoupage (ver pág. 14).

## Papel crepé

Para formar los pliegues de este papel, éste se arruga en un primer paso, y después se aplana. Este tipo de papel sirve muy bien para cubrir objetos.

## Periódico

El periódico se puede utilizar en la elaboración de papel maché: es barato, fácil de romper y absorbe muy bien el pegamento.

papel crepé

## Papel para origami

Para hacer origami puedes utilizar cualquier tipo de hoja o papel delgado y cortarlo en forma cuadrada. Aunque también puedes comprar papel específico para hacer origami.

## Papel para scrapbook

Se puede encontrar papel para scrapbook con una gran variedad de diseños. Normalmente este papel es más grueso que las hojas de papel convencional, por lo que es ideal para hacer esculturas o figuras de papel.

## Cartulina

La cartulina es más gruesa que el papel y puedes encontrarla en varios colores y tamaños. La cartulina delgada funciona bien para hacer manualidades o figuras, mientras que la gruesa se utiliza generalmente como base para otras actividades.

## Papel reciclado

Puedes reutilizar vasos o platos de papel, sobres, revistas y papel para envolver regalos; también pueden servirte cajas viejas o tubos de papel de baño.

cajas

periódico

papel para scrapbook

papel de China

tubos de cartón

# Pegamento líquido

Cualquier tipo de pegamento líquido puede ser utilizado. Puedes diluir adhesivo vinílico o PVA (pegamento para modelos a escala) con un poco de agua para utilizarlo como barniz.

# Pegamento con diamantina

Este producto lo hacen mezclando pegamento líquido con diamantina. Es fácil de aplicar, pero tienes que asegurarte de que seque bien, de lo contrario puede correrse y manchar tu trabajo.

# Diamantes con adhesivo

Estas pequeñas joyas brillantes de plástico tienen adhesivo en la parte trasera, por lo que se pueden adherir fácilmente a cualquier superficie.

# Pintura

Los mejores tipos de pintura para manualidades que se presentan en este libro son las pinturas para cartel o pinturas acrílicas.

# Cinta adhesiva

La cinta adhesiva sirve perfecto para pegar algunas de las manualidades. Utiliza cinta adhesiva de doble cara cuando desees pegar algo, pero no quieras que se note.

punzón largo
para filigrana

acocador

# Cinta adhesiva para montaje

Este tipo de cinta es similar a la cinta de doble cara; pero a diferencia de ésta, la cinta adhesiva para montaje está cubierta por una capa de espuma acrílica que crea un efecto tridimensional.

# Punzón largo para filigrana

Este utensilio consiste en una varilla de metal o de plástico con una punta muy delgada y larga. Sirve para enrollar papel y crear espirales. Se le conoce también como aguja rizadora.

pinturas acrílicas

# Manguillo o acocador

Este utensilio cuenta con una minúscula esfera de metal o plástico en la punta. Se puede utilizar para marcar surcos o hendiduras en papel grueso para que sea más fácil doblarlo. Puedes sustituirlo con cualquier objeto puntiagudo, como una aguja para tejer o una pluma de punta redonda que ya no tenga tinta.

pegamento con diamantina

pegamento líquido

7

# Técnicas

Para doblar una cartulina o un papel grueso procura marcar primero un surco donde quieras realizar el doblez para facilitarte esta tarea; de esta forma también asegurarás que el doblez quede derecho.

## Doblar cartulina

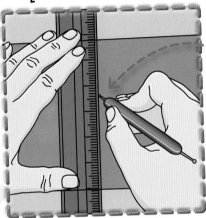

**1** Coloca una regla encima del papel o cartulina donde quieras hacer el doblez. Pasa un manguillo o acocador siguiendo el borde de la regla presionando fuertemente para marcar una línea derecha. Puedes aplicar esta técnica en ambos lados del papel.

Puedes utilizar este utensilio para marcar líneas curvas; en este caso no necesitarás usar la regla (ver pág. 13).

**2** El papel o cartulina se doblará fácilmente por la línea que marcaste y el doblez quedará derecho. Presiona a lo largo de todo el doblez con tu uña para que se marque mejor.

## Patrón de doblez Iris

Necesitarás utilizar este patrón para realizar la actividad de la página 20. Los colores que se muestran aquí sólo son un ejemplo que te servirá de guía.

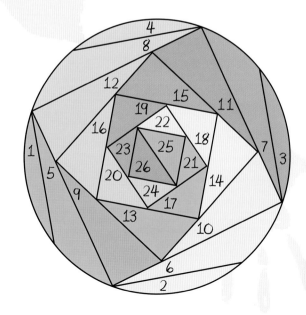

# Papel maché

El papel maché es una mezcla de periódico con engrudo. Para hacer tu propio engrudo necesitarás harina de trigo, agua, adhesivo vinílico, sal, 1 tazón, 1 batidor globo, 1 cucharita y 1 taza medidora.

**1** Coloca en el tazón 1 taza de harina, $1\frac{1}{2}$ tazas de agua y $\frac{1}{2}$ taza de adhesivo vinílico. Agrega 1 cucharadita de sal para evitar que se endurezca rápidamente.

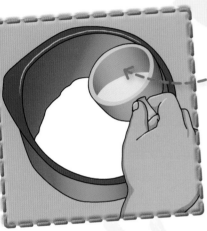

**2** Mezcla con el batidor globo hasta obtener una mezcla tersa. Agrega un poco más de agua en caso de ser necesario. Cubre el tazón con un trapo o un trozo de periódico hasta que lo vayas a utilizar.

# Cómo hacer una apertura

**1** Dibuja 1 círculo en una cartulina. Dóblala en sí misma justo por la mitad del círculo; asegúrate de no apretar mucho el doblez. Haz un pequeño corte con las tijeras a la mitad del doblez.

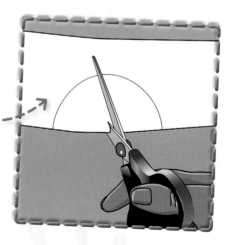

**2** Desdobla la cartulina. Pasa la punta de las tijeras a través del orificio donde realizaste el corte y recorta siguiendo la circunferencia del círculo.

# Flores sorpresa

## Dentro de estas adorables flores de papel encontrarás una sorpresa: ¡una deliciosa paleta!

**1** Recorta 1 cuadro de papel de China de 9 centímetros por lado. Decóralo por uno de sus lados con algunos puntos de pegamento con diamantina y déjalo secar. Envuelve el cuadrado alrededor de la paleta y amárralo al palito con cinta adhesiva.

**2** Corta 3 cuadros de papel de China de 14 centímetros por lado y 2 del mismo tamaño de papel crepé. Dobla uno de los cuadros a la mitad de manera diagonal para formar un triángulo. Dobla el triángulo por la mitad 2 veces más.

**3** Dobla una vez más el triángulo a la mitad, esta vez guiándote por el ángul formado en uno de los lados cortos co el lado largo para obtener un triángul delgado. Obtendrás una parte desigual a la que deberás darle forma curva co las tijeras. Corta la punta del triángulo y desdobla el papel para obtener una forma de flor. Repite los pasos 2 y 3 con todos los cuadros de papel.

**4** Recorta 1 cuadro de cartulina de 9 centímetros por lado. Repite los pasos 2 y 3, pero en esta ocasión corta un poco más de la punta del triángulo para obtener un orificio más grande. Desdobla la cartulina y presiona con tus dedos los dobleces para crear un efecto de acordeón.

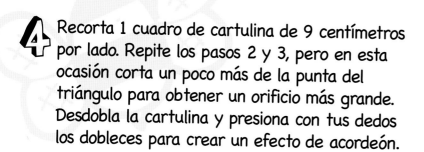

**5** Pasa las 5 flores de papel a través del palito de la paleta; intercala las flores de papel de China con las de papel crepé. Pon un poco de pegamento líquido en el interior de la flor de cartulina, pásalo por el palito y pégalo a la última flor de papel. Inserta el palito de paleta en el popote verde y pégalos con cinta adhesiva.

Para hacer paletas con forma de abeja o catarina, sigue el paso 1. Para hacer la cabeza, forra una bolita de papel con papel crepé negro. Forma las alas de la catarina o las franjas del cuerpo de la abeja con cartulina de color; y las antenas con 1 trozo de limpiapipas.

# Rosas en espiral

Estas lindas rosas pueden ser una excelente decoración para cualquier ocasión.

**1** Recorta 1 cuadro de cartulina con diseño de 14 centímetros por lado. Dibuja 1 espiral gruesa en la parte trasera del cuadro; después, dibuja siguiendo todo el interior de la espiral una línea ondulada.

**2** Corta siguiendo la línea de la espiral y posteriormente recorta siguiendo la línea ondulada. De esta forma obtendrás los pétalos de la rosa.

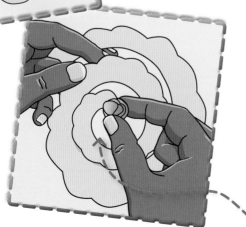

**3** Enrolla la espiral comenzando por el centro. Sujeta y presiona con tus dedos la espiral durante algunos segundos, y luego suéltalo para que se abra por sí solo. Aplica un poco de pegamento líquido en la punta final de la espiral y pégala a uno de los lados para que la espiral mantenga la forma de flor.

**4** Marca sobre la cartulina verde el patrón de estrella y dibuja 2 figuras con forma de hojas; recorta el patrón de estrella y las figuras. Dobla hacia arriba cada uno de los picos de la estrella. Marca una línea curva al centro de las hojas con el manguillo o acocador para crear las nervaduras (ver pág. 8).

Patrón de estrella

← 7 cm →

**5** Pega la rosa en el centro de la estrella. Coloca un poco de pegamento en el centro de la rosa y pega la cuenta. Finalmente, pega las hojas en la parte trasera de la estrella.

Puedes hacer rosas más pequeñas para usarlas como prendedores en tu ropa.

# Acuario

Transforma un frasco de mermelada vacío en una lamparita de noche, creando capas de papel de China y utilizando la técnica de decoupage.

## NECESITARÁS:

- Papeles de China color azul claro, azul turquesa, azul marino, verde limón, verde oscuro, morado y naranja
- 1 frasco limpio y sin etiqueta
- Adhesivo vinílico (PVA)
- Pincel de cerdas plano
- Tijeras
- Pegamento con diamantina
- Lamparita de noche de baterías

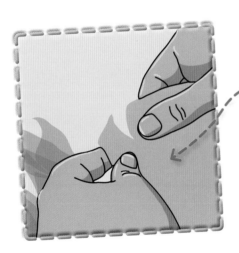

**1** Arranca varias tiras de los papeles de China azules y verde limón. Deberán medir aproximadamente 2 x 10 centímetros; sin embargo, la forma y el tamaño pueden ser ligeramente diferentes.

**2** Aplica un poco de adhesivo vinílico en el frasco con el pincel y pega encima 1 tira de papel de color azul; aplica un poco de adhesivo sobre el papel. Continúa pegando tiras de papel de colores azul claro y azul turquesa hasta terminar de cubrir el frasco.

**3** Pega algunas tiras delgadas de color verde limón de manera horizontal sobre la primera capa. Pega de la misma manera algunas tiras azul marino cerca de la base del frasco. Deja secar.

**4** Dibuja pececitos en los papeles de color naranja y morado y figuras con forma de algas marinas en el de color verde oscuro. Recórtalos y pégalos en el frasco con adhesivo vinílico. Deja secar.

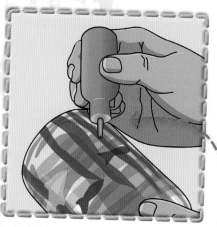

**5** Utiliza el pegamento con diamantina para decorar tu frasco; puedes hacer los ojos y las aletas de los peces, dibujar burbujas, etc. Deja secar. Coloca la lamparita de noche dentro del frasco.

Crea tus propios diseños con distintos colores de papel. Por ejemplo, un jardín para hadas, un atardecer o simplemente un diseño colorido.

# Pez piñata

Rellena esta divertida piñata con tus dulces favoritos y confeti e invita a tus amigos a romperla.

**1** Arranca cuadros de periódico de 3 centímetros aproximadamente. Sumerge cada uno en el engrudo, pégalos en el globo y estíralos con tu dedo para que queden lisos. Cubre todo el globo y deja secar entre 4 y 5 horas. Repite este procedimiento hasta formar 3 capas, dejándolas secar por completo antes de formar la siguiente.

**2** Dibuja sobre la cartulina gruesa 2 aletas dorsales, la aleta superior, la cola y la boca del pescado. Recórtalas y cubre cada una con papel maché siguiendo el paso 1. Deja secar por completo.

**3** Revienta el globo con el alfiler. Coloca la aleta superior en la parte de arriba del cuerpo de la piñata y aplicando 3 capas de papel maché donde ambas partes se juntan. Pega de la misma manera la cola y la boca. Deja secar por completo.

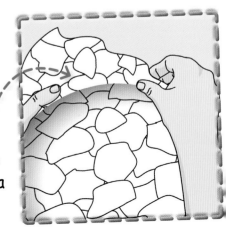

**4** Pinta la piñata con la pintura blanca y déjala secar. Diluye un poco de adhesivo vinílico con agua; pega con esta mezcla trozos de papel crepé sobre las aletas dorsales y superior, la cola y la boca hasta forrarlos por completo.

**5** Corta tiras de papel crepé de 2 colores diferentes y pégalas a lo largo del cuerpo del pescado de manera horizontal. Pinta la boca con la pintura color verde. Forma los ojos cortando círculos de cartulina naranja y verde y pégalos, así como las aletas dorsales a los lados.

Pide a un adulto que haga un orificio en la parte superior de la piñata a un lado de la aleta y que coloque un trozo de lazo para colgarla. Rellénala con dulces y confeti.

# Monstruos

Elabora diferentes tipos de monstruos con este sencillo y divertido juguete de papel.

**NECESITARÁS:**

- Cartulina delgada de 2 colores diferentes
- Lápiz, regla y tijeras
- Manguillo o acocador (ver pág. 7)
- Pintura, colores o crayolas
- Pegamento líquido

3 cm

3 cm

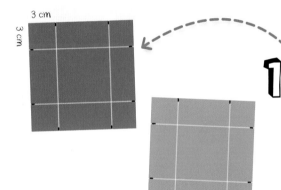

**1** Corta 1 cuadro de 12 centímetros de cada una de las cartulinas. Marca en la parte trasera de cada uno 8 puntos ubicados a 3 centímetros de distancia de cada una de las 4 esquinas de los cuadros. Une los puntos opuestos con una línea tenue. Coloca la regla sobre las líneas y marca zurcos con el manguillo o acocador (ver pág. 8).

**2** Dale la vuelta a los cuadros de cartulina y dibuja un monstruo en cada uno. Corta por la mitad uno de los monstruos de manera horizontal y el otro de manera vertical.

**3** Pon boca abajo el monstruo cortado de manera vertical, sin que pierda su forma. Pon pegamento en las 4 esquinas de la cartulina. Pega el trozo horizontal con la cara del monstruo en las esquinas superiores de la cartulina y el trozo restante en la parte inferior.

**4** Dobla la pestaña superior hacia arriba y la inferior hacia abajo; deberás obtener un espacio de cartulina sin dibujo. Dibuja en esta parte otro monstruo.

**5** Desdobla las secciones centrales hacia fuera. En esta ocasión notarás que esta sección ya está parcialmente dibujada, por lo que únicamente deberás terminar de dibujar al monstruo.

Experimenta con diferentes diseños. Puedes utilizar fotografías viejas o recortes de revistas para tener una versión diferente.

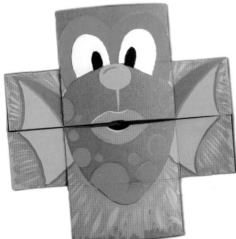

# Tarjeta de regalo

Elabora tus propias tarjetas de regalo utilizando el patrón de doblez Iris. Puedes utilizar los colores que desees jugando con las tonalidades.

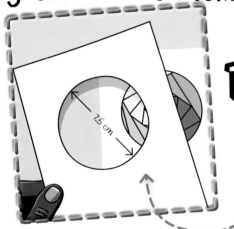

**1** Recorta una apertura de 7.5 centímetros de diámetro en la cartulina blanca (ver pág. 9). Coloca 1 cuadrito adhesivo en la cartulina; pega la apertura de manera que quede alineada con el patrón.

**2** Corta tiras de 2.5 centímetros de ancho por 30 de largo de los 4 colores de papel para envolver. Toma un tira y dobla una de la orillas largas hacia la cara interna del papel; este borde deberá medir 5 milímetros. Haz lo mismo con el resto de las tiras.

5 mm

**3** Toma la primera tira y colócala boca abajo. Alinea el costado doblado con la sección 1 del patrón. Corta la tira de manera que se ajuste al tamaño de la sección y pégala con el pegamento en barra en el borde de la apertura.

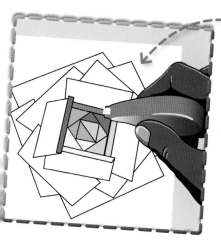

4 Repite el paso 3, pega las demás tiras en cada sección siguiendo el orden de los números y cambiando el color en cada ocasión. Pega cada tira en la parte trasera de la tira anterior hasta llegar al centro del patrón.

5 Despega la cartulina blanca del patrón. Dobla la cartulina rosa por la mitad para formar la tarjeta y pega la cartulina blanca en la cara frontal de la tarjeta. Dibuja un cono para helado en la cartulina café, recórtalo y pégalo abajo del Iris con la cinta adhesiva para montaje. Decora el cono con el pegamento con diamantina y deja secar.

Para hacer una tarjeta de paleta, pega un palito de madera abajo del Iris. Coloca encima un trozo de celofán y pega un pequeño moño para decorar la paleta.

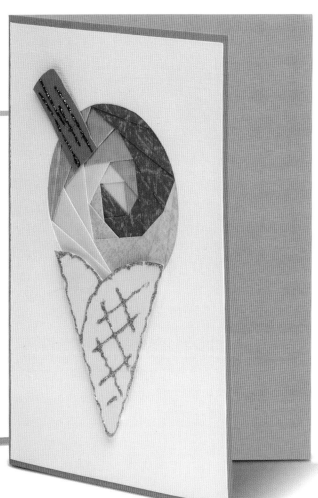

# Álbum zigzag

Corta y dobla una hoja de papel o de cartulina para hacer un álbum fotográfico. ¡Será un excelente regalo!

**NECESITARÁS:**

- 1 cuadro de cartulina delgada de 30 cm por lado
- Regla, lápiz, tijeras
- Manguillo o acocador (ver pág. 7)
- Listón
- Pegamento líquido
- Papel de colores o con diseños
- Retazos de cartulina delgada
- Diamantes con adhesivo

**1** Marca con un lápiz 4 puntos separados por 7.5 centímetros de distancia en cada uno de los lados del cuadro de cartulina. Une los puntos haciendo líneas con la regla para obtener una cuadrícula con 16 espacios.

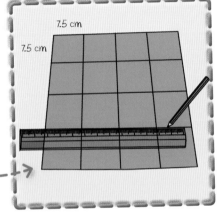

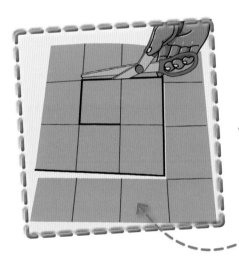

**2** Para obtener una espiral deberás comenzar a cortar del lado inferior izquierdo. Corta siguiendo la línea de los 3 cuadros avanzando hacia la derecha, continúa cortando 2 cuadros hacia arriba, luego 2 hacia la izquierda, después 1 cuadro hacia abajo, y finalmente 1 cuadro hacia la derecha.

**3** Marca todas las líneas restantes con el manguillo. Dobla cada una de las líneas hacia delante y hacia atrás siguiendo el sentido de la espiral para formar una especie de acordeón o zigzag.

**4** Corta 2 tiras de listón de 40 centímetros de largo y pégalas al primer y último cuadro; déjalas secar. Recorta tus fotografías en rectángulos de 5 x 6.5 centímetros. Recorta algunas tiras del papel y pégalas aleatoriamente en algunos cuadros; pega las fotografías sobre cada uno de los cuadros por ambos lados del espiral.

**5** Dibuja algunas flores sobre los retazos de cartulina y recórtalas. Pégalas en algunas de las páginas del álbum para decorarlo, así como algunos diamantes con adhesivo. Puedes escribir alguna nota debajo de las fotografías.

Mi cumpleaños

Para hacer una pequeña libreta; sigue el mismo procedimiento, pero en lugar de pegar fotografías, deja los cuadros vacíos y decora el primero y el último.

# Mariposa de origami

## El origami es una forma de arte japonés que consiste en hacer figuras doblando papel.

**1** Coloca el cuadro de papel con el diseño hacia abajo. Desdoblando antes de realizar el siguiente doblez, dóblalo por la mitad 2 veces en diagonal; dóblalo 2 veces más de manera vertical y horizontal.

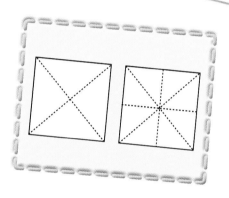

**2** Dobla el cuadro de papel a la mitad para obtener un rectángulo. Sujeta el lado izquierdo (con la apertura hacia abajo) y jala la punta superior derecha hacia el centro y adentro del rectángulo. Repite el mismo procedimiento del lado contrario. Deberás obtener un triángulo con 2 pestañas abiertas de cada lado.

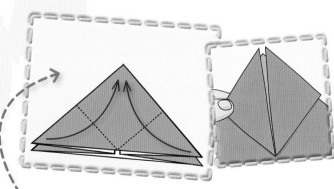

**3** Dobla hacia arriba las 2 puntas inferiores y frontales de cada pestaña de manera que se junten en la cima del triángulo.

**4** Gira la figura. Dobla la punta inferior hacia atrás y hacia arriba. Deberás obtener un pequeño triángulo sobe la línea horizontal.

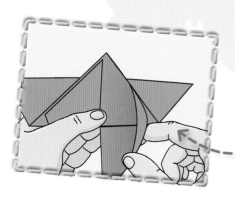

**5** Dale la vuelta a la figura. Jala la punta superior de la pestaña derecha del triángulo hacia abajo. Haz lo mismo con la pestaña izquierda. Presiona con tu dedo para aplanar los dobleces.

**6** Dale la vuelta nuevamente a la figura y dobla hacia abajo el pequeño triángulo superior.

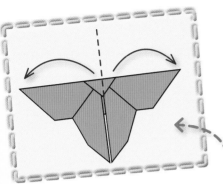

**7** Dobla la figura a la mitad de manera vertical. Las alas deberán estar alineadas. Mantén la figura doblada.

**8** Presiona con tu dedo índice y pulgar el triángulo pequeño; sin soltar el triángulo abre las alas de la mariposa, jálalas hacia arriba y presiona para marcar el doblez. Finalmente suelta la figura y deja que las alas se abran por sí solas.

Para hacer una tarjeta de regalo, pega sobre un trozo de cartulina doblado por la mitad unas nubes hechas de papel; pega la mariposa encima y dibuja sus antenas.

# Estrella de kirigami

El kirigami es un tipo de origami en el cual se realizan algunos cortes al papel. Dobla, corta y enrolla para hacer esta estrella decorativa.

## NECESITARÁS:

- 6 cuadros de papel grueso o cartulina de 10 cm por lado
- Regla
- Lápiz
- Tijeras
- Goma
- Engrapadora pequeña o pegamento líquido
- Perforadora
- Lazo

**1** Dobla uno de los cuadros a la mitad en diagonal para hacer un triángulo. Dóblalo nuevamente para obtener un triángulo más pequeño.

**2** Marca con el lápiz una línea horizontal a $\frac{1}{2}$ centímetro de distancia del lado corto del triángulo que no se abre. Dibuja 3 tiras (de 1 centímetro de grosor aproximadamente), trázalas comenzando por el lado opuesto hasta llegar a la línea y recorta siguiendo las líneas.

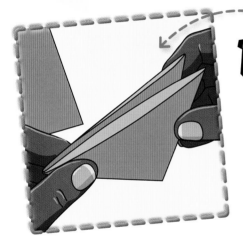

**3** Borra la línea y abre el papel. Enrolla y jala las dos primeras puntas (las puntas centrales) hacia el centro de la figura y engrápalas o pégalas.

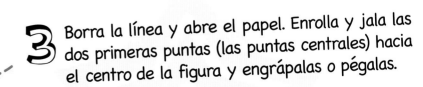

**4** Enrolla y jala las siguientes dos puntas hacia atrás de la figura de papel, junta las puntas y engrápalas. Enrolla y jala las terceras puntas hacia el centro delantero de la figura y engrápalas. Finalmente, engrapa el último par de puntas en la parte trasera de la figura. Repite los pasos 1 al 4 con los 5 cuadros restantes.

**5** Toma 2 figuras, únelas por una de las puntas como se muestra en la imagen y engrápalas. Engrapa de la misma manera 2 figuras más. Posteriormente engrapa los 2 pares de figuras y termina engrapando la figura restante. Haz un orificio en el centro de la estrella con la perforadora, pasa el lazo por el orificio y amárralo de las puntas. Cuelga tus estrellas.

Puedes hacer estrellas blancas que parezcan copos de nieve para decorar tu recámara durante el invierno; o bien, engrapa las figuras verticalmente para crear una cadena.

# Brazalete brillante

Utiliza papel maché para crear unos divertidos y gruesos brazaletes hechos con periódico y papel con diseños.

**1** Corta 2 tiras de cartulina de 2.5 x 24 centímetros. Envuelve con una de ellas la parte más ancha de tu mano para formar un círculo (recuerda que una vez aplicado el papel maché la cartulina será más resistente y dura). Pega el círculo con cinta adhesiva para que no pierda su forma. Cúbrela pegando la tira de cartulina restante para fortalecer el brazalete.

**2** Arranca tiras largas de periódico de 2 centímetros de ancho. Aplica un poco de engrudo en todo el brazalete y envuelve las tiras de periódico alrededor de todo el brazalete. Fórralo con 2 o 3 capas de periódico y engrudo y deja secar por completo.

**3** Agrega la cantidad de capas de periódico necesarias para lograr el grosor que quieras. Deja secar cada 3 o 4 capas. Pinta el brazalete con la pintura blanca y uno de los pinceles y déjalo secar.

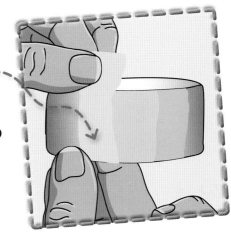

**4** Arranca algunas tiras del papel con diseños de 2 x 4.5 centímetros aproximadamente. Sumerge las tiras de papel una por una en el adhesivo vinílico diluido y pégalas sobre el brazalete, dobla el papel sobrante hacia el interior del mismo; pasa tu dedo presionando ligeramente para alisar el papel.

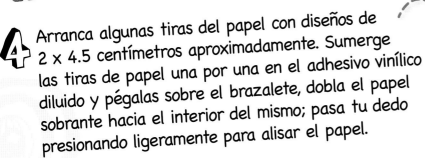

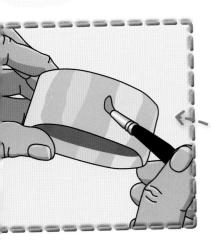

**5** Deja secar por completo tu brazalete. Coloca algunos diamantes con adhesivo para decorarla. Aplica una capa del adhesivo vinílico con un pincel en toda la superficie de la pulsera y déjala secar.

Corta tiras de cartulina más delgadas en caso de que quieras usar un brazalete menos grueso. Para hacer un dije que combine con tu brazalete, corta una pequeña figura de cartulina y cúbrela con papel maché siguiendo el mismo procedimiento.

# Borreguito de espiral

Para realizar este borreguito necesitas un utensilio llamado punzón largo o aguja rizadora. Si no tienes uno, puedes hacerlo enrollando las tiras de papel a mano.

## NECESITARÁS:

- Tiras de papel blanco:
  - Cuerpo – 1 tira de 2 × 30 cm
  - Lana y cola – 9 tiras de 0.5 × 10 cm
- Pegamento líquido
- Punzón largo para filigrana
- Tiras de papel negro:
  - Cabeza – 2 tiras de 0.5 × 30 cm
  - Patas – 4 tiras de 1.5 × 30 cm
  - Orejas – 2 tiras de 0.5 × 10 cm
- Cinta adhesiva
- Pluma blanca

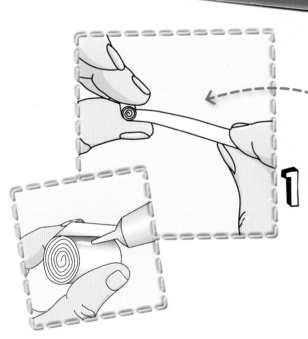

**1** Enrolla con tus manos la tira blanca para hacer el cuerpo del borrego; aprieta a medida que enrollas para que la espiral quede firme. Una v[ez] que termines de enrollar, suelta la espiral para que se desenrolle por sí misma. Cuando tenga u[n] grosor de 2.5 centímetros, aplica un poco de pegamento en la punta y pégala a la espiral.

**2** Coloca una orilla de una de las 9 tiras blancas y comienza a enrollarla con firmeza alrededor del punzón. Una vez que hayas terminado de enrollar jala el puzón para sacarlo. Deja que la espiral se desenrolle por si sola un poco y pégala para que no pierda su forma. Repite este paso con las 8 tiras restantes. Pega 7 espirales por los costados para formar un círculo. La espiral restante será la cola.

**3** Pega con cinta adhesiva dos orillas de las 2 tiras negras para la cabeza del borrego para obtener una tira de 60 centímetros de largo. Enróllala firmemente siguiendo el paso 1, deja que se desenrolle ligeramente y pégala. Empuja hacia afuera ligeramente el centro de la espiral para formar la cabeza.

**4** Sigue el paso 2 para enrollar las 4 tiras negras para las patas. Asegúrate de pegar las orillas para que la espiral no pierda su forma. Pon un poco de pegamento en el costado de una de las espirales y pégala con otra de manera que queden alineadas. Haz lo mismo con las otras 2 patas.

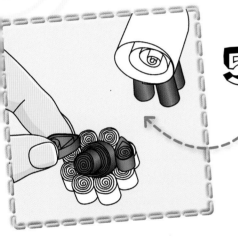

**5** Enrolla y pega las 2 tiras negras restantes para las orejas. Presiónalas por uno de los lados para que adquieran forma de gotas. Pega la cabeza al interior del círculo de espirales de lana y pega las orejas a los costados de la cabeza. Pega el círculo de lana con la cabeza, las patas y la cola al cuerpo. Dibuja un par de ojos con la pluma blanca.

Para hacer un león utiliza tiras cafés y naranjas. Pon una tira café delgada alrededor de la base de las patas amarillas y utiliza una tira más larga para hacer el espiral de la cola. Agrega una nariz y un hocico y coloca 2 espirales más sobre la cabeza para hacer más grande su melena.

# Búho

Transforma un vaso de papel y un poco de retazos de papel en un hermoso búho.

**NECESITARÁS:**

- 1 vaso de papel
- Pintura del color que desees que sea tu búho
- Pincel
- Tijeras
- Lápiz
- Cartulina delgada de varios colores y diseños
- Pegamento líquido
- Regla

**1** Pinta el vaso de papel y déjalo secar. Aplasta la boca del vaso para aplanarla y corta el borde. Haz dos cortes diagonales en las dos orillas para formar las orejas del búho.

**2** Dibuja una flor en un trozo de cartulina y recórtala. Dóblala por la mitad, desdóblala y pégala en el centro de la cabeza del búho; esto ayudará a mantener los dos lados del vaso unidos. Presiona hasta que se seque. Dale forma a las orejas.

**3** Dibuja en otro trozo de cartulina un arco, recórtalo y dóblalo por la mitad de manera vertical. Haz 3 pequeños cortes diagonales en la línea del doblez y desdobla. Dobla los lados hacia el centro y haz 2 pequeños cortes diagonales en la línea del doblez de cada lado. Desdobla nuevamente y pega el arco en el centro del vaso alineado con la base.

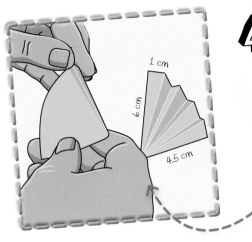

**4** Dibuja en otro trozo de cartulina 2 triángulos de 4.5 x 6 centímetros con uno de los bordes curvos. En uno de los triángulos haz pequeñas marcas, separadas de 1 centímetro, con el lápiz alrededor del borde curvo. Traza una línea a partir de una de las marcas hacia la punta opuesta del triángulo; haz lo mismo con el resto de las marcas. Dobla las líneas de atrás hacia delante para hacer un acordeón. Haz lo mismo con el triángulo restante y pega las alas en los costados del vaso.

**5** Para los ojos del búho, corta 2 círculos de cartulina del mismo color que las alas, de 2 centímetros de diámetro; 2 círculos de cartulina blanca, de 1 centímetro de diámetro; y 2 círculos de cartulina negra, de 0.5 centímetros de diámetro. Pégalos uno sobre otro. Recorta un trozo de cartulina en forma de pico. Pega los ojos y el pico en su lugar.

Para hacer un pajarito, presiona la boca del vaso, corta en diagonal para hacer la cola, sin despegar las tijeras continúa cortando horizontalmente y finalmente, lleva las tijeras hacia arriba y corta curvo para hacer la cabeza. Repite los pasos 3, 4 y 5 y pega las figuras al costado del vaso.

# Materiales

Reciclar y reutilizar materiales es bueno para el medio ambiente y para tu bolsillo. Con un poco de conocimiento e imaginación puedes darle nueva vida a objetos usados que ya no se necesitan y, en ocasiones, hasta convertirlos en algo mejor a lo que eran originalmente.

calcetines

## Calcetines

¿Quién no tiene en su casa toda una colección de calcetines viejos, rotos o sin par? Dales una nueva vida realizando alguna manualidad sorprendente.

## Relleno para almohadas

Puedes reutilizar el relleno de almohadas o cojines viejos. En caso de no tener ninguno en casa, este relleno se puede conseguir fácilmente en mercerías o tiendas de telas.

relleno

## Botones

Guarda los botones de toda tu ropa vieja. Si deseas una mayor variedad busca en mercerías aquellos que tengan los colores y formas más extrañas.

botones

## Papel

Es muy probable que en tu casa encuentres una gran variedad de papel usado o viejo. Algunos ejemplos excelentes son: envolturas de regalos, correspondencia, sobres, folders y revistas.

## Cuentas

No es necesario que compres cuentas nuevas para cada ocasión; puedes reutilizar las cuentas de collares viejos o rotos. Recuerda pedir permiso a un adulto antes de cortar cualquier cosa.

periódicos

sobres

joyería vieja

corbatas

listones

## Listones

Puedes coleccionar los listones que vienen en las cajas de chocolates o en los regalos. También puedes encontrar listones increíbles en mercerías y tiendas de telas.

## Corbatas

Pregunta a tus familiares y amigos si tienen corbatas viejas que te puedan regalar. Si no, también es posible encontrar algunas en ventas de garage o tiendas de ropa de segunda mano.

## Hilo elástico

El hilo elástico se utiliza para hacer joyería de fantasía. Te recomendamos que compres hilo elástico de entre 0.6 a 0.8 milímetros de grosor, ya que es mucho más manejable.

## Tarjetas de felicitación

Las tarjetas viejas -cumpleaños y otras celebraciones- la mayoría de las veces son muy bonitas como para tirarlas. Así que guárdalas y utilízalas para elaborar una manualidad fabulosa.

tarjetas de felicitación

hilo elástico

## Seguritos

Estos seguritos se venden en mercerías y tiendas de telas. Con ellos podrás elaborar prendedores con varios diseños.

seguritos

# Técnicas

## Nudo Inicial

Antes de comenzar a coser, es importante ensartar el hilo en la aguja y hacer un nudo en uno de sus extremos. Esto permitirá asegurarlo en la parte trasera de la tela.

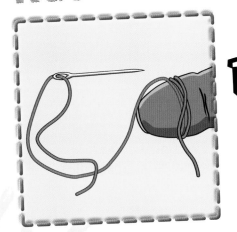

**1** Ensarta el hilo en la aguja y enróllalo, 2 o 3 veces, alrededor de tu dedo índice.

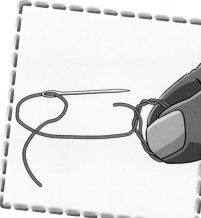

**2** Empuja el hilo hacia afuera, enrollándolo con el pulgar para sacarlo del dedo.

**3** Jala los dos extremos del hilo hacia lados contrarios y aprieta para formar el nudo.

## Ensartado

Utiliza un hilo con una sola hebra para coser telas delgadas. En el caso de telas más gruesas o si deseas obtener costuras más resistentes, puedes utilizar un hilo con doble hebra.

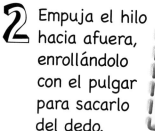

### Ensartado sencillo
Pasa el hilo a través de una aguja y haz un nudo en uno de los extremos.

### Ensartado doble
Pasa el hilo a través de una aguja y llévala al centro del hilo, de manera que queden dos hebras del mismo largo. Une las puntas de las dos hebras y sujétalas con un nudo.

# Puntos de costura

## Puntada sencilla
Pasa la aguja con hilo a través de la tela de arriba hacia abajo; pásala de vuelta de abajo hacia arriba, unos milímetros adelante de donde iniciaste. Repite los pasos anteriores. Las costuras deberán tener el mismo largo y seguir una línea recta.

## Punto atrás
Haz una puntada sencilla y luego da una puntada hacia atrás para introducir la aguja nuevamente por donde iniciaste. Saca la aguja de nuevo, avanzando la distancia de dos puntadas. Repite haciendo una puntada hacia atrás, insertando la aguja en donde terminó la puntada previa.

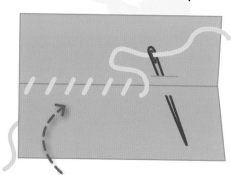

## Puntada de bastilla
Junta los dos bordes de tela que vayas a unir. Pasa la aguja con hilo a través de una de las telas, de abajo hacia arriba, e insértala en la tela contraria. Jala la aguja hacia abajo y sácala nuevamente por la tela con la cual iniciaste. Repite la operación hasta juntar las telas.

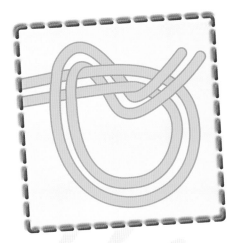

## Cómo hacer un nudo a un hilo elástico
Une las puntas de las dos hebras del elástico y enróllalas alrededor de tu dedo índice. Deslízalo hacia afuera con la otra mano para sacarlo del dedo y jala los extremos hacia lados contrarios para formar el nudo.

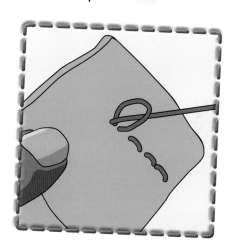

## Remate
Para realizar el remate o nudo final, haz un punto de costura pequeño y pasa la aguja a través del bucle que se forma antes de jalar el hilo para apretar la costura. Repite la operación para hacer un segundo nudo. Corta el hilo excedente, dejando una punta de 1 centímetro de largo.

# Botón pulsera

Esta hermosa pulsera con botones será el regalo perfecto para alguien especial.

**1** La cantidad de botones que necesitarás, dependerá del tamaño de los botones y de la muñeca de la persona que la utilizará. Corta 25 centímetros de hilo elástico (o 35 centímetros si la pulsera es para un adulto). Coloca el clip 3 centímetros antes de uno de los extremos del hilo elástico; de esta forma, al colocar los botones no se saldrán.

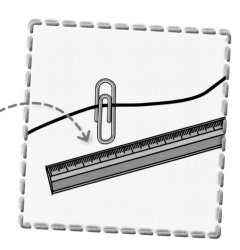

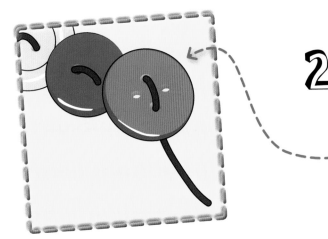

**2** Ensarta el hilo elástico a través de los orificios de cada uno de los botones. Deberán quedar sobrepuestos unos sobre otros. Si alguno de los botones tiene cuatro orificios, pasa el hilo a través de 2 de ellos de manera diagonal.

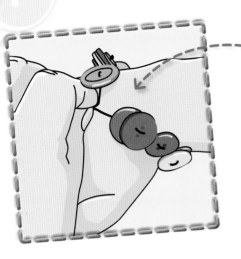

**3** Envuelve con la pulsera tu muñeca o la de la persona que la usará para verificar el tamaño. La pulsera deberá quedar ligeramente ajustada para que los botones permanezcan planos. Retira el clip.

**4** Amarra ambos extremos del hilo elástico con un nudo (ver pág. 37). Corta el exceso del hilo elástico dejando dos puntas de 1 centímetro.

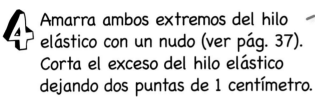

Utiliza tus combinaciones de colores favoritas e intenta acomodar botones pequeños sobre otros más grandes.

# Prendedor armadillo

NECESITARÁS:

- 1 corbata vieja
- Tijeras
- Hilo y aguja
- Lápiz
- 1 hoja de papel
- 1 trozo de fieltro
- 2 botones pequeños
- 1 segurito

Este simpático prendedor está hecho con la punta de una vieja corbata. Puedes utilizarlo como accesorio para tu ropa, o para decorar algún sombrero o una bolsa.

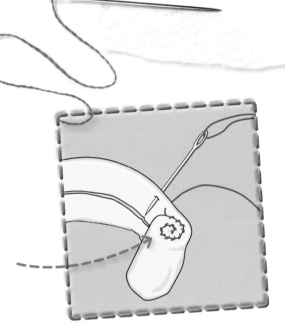

**1** Corta un trozo de 45 centímetros del extremo más delgado de la corbata. Enróllala, comenzando por el lado más grueso para obtener una especie de cono. Cose uno de los lados de la corbata a medida que vas enrollando, siguiendo la técnica de la puntada de bastilla (ver pág. 37).

**2** Cuando llegues al final de la corbata, fija el extremo en su lugar con dos puntos de costura y remata. Este cono será la cabeza del armadillo.

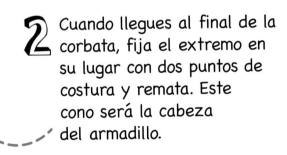

**3** Dibuja sobre la hoja de papel un círculo del mismo tamaño que la parte trasera del cono. Dibuja a los lados dos orejas puntiagudas. Recorta esta figura, márcala sobre el fieltro y recórtala nuevamente. Cósela en la parte trasera del cono.

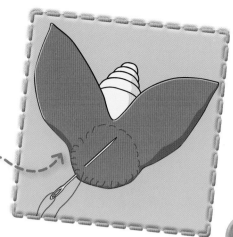

**4** Abre el segurito y cóselo en el centro del círculo de fieltro. Haz 3 o 4 puntadas en cada uno de los orificios y asegúrate que quede bien sujeto.

**5** Cose los botones en la parte superior del cono para hacer los ojos del armadillo. Pasa la aguja dos veces por todos los orificios de los botones y esconde atrás el remate.

Para hacer un prendedor de ratón, dibuja unas orejas con puntas redondeadas y cose en la parte inferior trasera una cola hecha con un pedazo de fieltro.

# Cupcake alfiletero

¡No tires las botellas de plástico! Lávalas y consigue **2** calcetines viejos para hacer un alfiletero.

## NECESITARÁS:

- 1 botella de plástico (enjuagada y seca)
- Navaja o cuchillo mondador
- Regla
- 2 calcetines viejos, de colores o diseños diferentes
- Tijeras
- Relleno para almohadas
- 1 listón
- Hilo y aguja
- Cinta para medir
- 1 cuenta

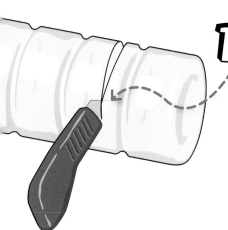

**1** Pide a un adulto que te ayude a retirar con una navaja o cuchillo la parte superior de la botella; necesitarás que la base mida 5 centímetros de altura.

**2** Mide 9 centímetros de la parte superior de uno de los calcetines y córtalo con unas tijeras. Desecha la parte del pie; obtendrás una especie de tubo de tela. Introduce la base de la botella de plástico en el calcetín y empújala hasta que el borde del calcetín quede justo al ras de la base de la botella. Introduce la tela sobrante dentro.

**3** Corta la parte del pie del segundo calcetín e introduce en la zona de los dedos suficiente relleno para almohadas. Amarra la tela sobrante con el listón, empujando el relleno para almohadas hacia arriba para apretarlo y obtener una esfera firme. Introduce la esfera dentro de la botella.

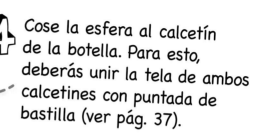

**4** Cose la esfera al calcetín de la botella. Para esto, deberás unir la tela de ambos calcetines con puntada de bastilla (ver pág. 37).

**5** Mide la circunferencia del cupcake con la cinta para medir, a la altura donde se unen ambos calcetines. Corta el listón del mismo tamaño y cóselo en la unión de ambos calcetines con una puntada sencilla (ver pág. 37). Cose la cuenta en la punta como si fuera una cereza. ¡El cupcake está listo para que entierres tus alfileres!

Puedes decorar el cupcake a tu gusto, cosiendo más cuentas o bordando algunas figuras.

# Libélula mensajera

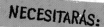

Estas pinzas con forma de libélulas coloridas son ideales para sujetar fotografías, imágenes, dibujos o notas importantes.

**1** Corta un rectángulo de papel grueso de 1.5 x 8 centímetros. Aplica un poco de pegamento en uno de los lados de la pinza y pega encima el rectángulo de papel. Corta con las tijeras los bordes de papel sobrantes para que quede del mismo tamaño que la pinza.

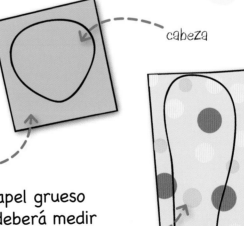

cabeza

**2** Dibuja la cabeza de la libélula sobre un trozo del papel sin diseños; deberá medir 2 centímetros de diámetro.
Corta dos rectángulos del papel grueso con diferentes diseños, uno deberá medir 3 x 10 centímetros y el otro 3 x 8 centímetros. Dóblalos por la mitad y dibuja en cada uno una ala.

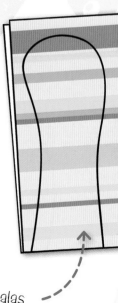

alas

**3** Recorta la cabeza y las alas de la libélula. Pega la cabeza en una de las orillas de la pinza. Desdobla las alas y pégalas en el cuerpo de la libélula. Traza sobre un pedazo de papel grueso una figura en forma de cola. Córtala y pégala en la punta opuesta a la cabeza.

**4** Corta un rectángulo de 3 x 6 centímetros del trozo de aluminio y enróllalo, comenzando por uno de los lados largos. Dóblalo por la mitad y dale forma de "U" para formar las antenas. Pégalas en la parte trasera de la cabeza con cinta adhesiva.

**5** Pega los ojos con unas gotas de pegamento y déjalo secar.

Comprar un regalo para mi mamá.

Esparce un poco de pegamento sobre el cuerpo de la libélula y espolvorea encima un poco de diamantina.

Limpiar mi recámara.

Comenzar un nuevo proyecto.

45

# Cajita de regalo

## NECESITARÁS:

- 1 tarjeta de felicitación
- Tijeras
- Lápiz
- Regla
- Adhesivo vinílico con aplicador (para modelos a escala)
- Clips

Reutiliza tus tarjetas de felicitación para hacer una práctica caja para regalo.

**1** Corta la tarjeta por la mitad, siguiendo la línea donde se dobla. La parte frontal será la tapa de la cajita y la parte trasera la base. En la cara interna de la parte trasera de la tarjeta traza una línea a 3 milímetros de distancia del borde izquierdo y del borde superior. Corta estas tiras y deséchalas.

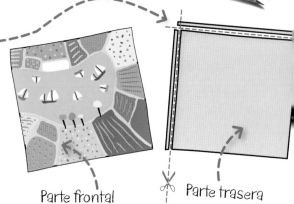

Parte frontal     Parte trasera

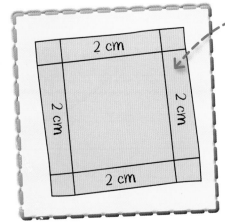

**2** Coloca la cara interna de ambas partes de la tarjeta viendo hacia arriba. Traza en cada una 4 líneas a 2 centímetros de los bordes.

**3** Sujeta firmemente la regla sobre una de las líneas. Pasa la punta de las tijeras a todo lo largo de la línea presionando ligeramente. Repite esta operación con todas las líneas restantes. Dobla los bordes hacia arriba, ayudándote con la regla para que queden derechos.

**4** Corta en cada mitad de tarjeta 2 centímetros de una de las líneas de cada esquina. De esta forma obtendrás 4 pestañas por tarjeta.

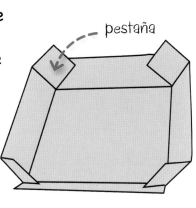

pestaña

**5** Aplica un poco de adhesivo vinílico en cada una de las pestañas. Dobla las orillas hacia arriba para obtener la forma de caja, tanto para la base como para la tapa. Coloca un clip en cada una de las esquinas y deja secar el pegamento.

Rellena la caja con papel de China de colores y pon dentro un maravilloso regalo hecho por ti, como una botón pulsera (ver págs. 38 - 39) o un prendedor floral (ver págs. 58 - 59).

# Joyería de papel

Reta a tus amigos a que adivinen cómo hiciste esta increíble pulsera. Nunca adivinarán que las cuentas están hechas con correspondencia.

**NECESITARÁS:**

- 1 pedazo de correspondencia de 21 × 29.7 cm (cartas o sobres), o de cualquier tipo de papel usado
- Regla
- Pluma
- Tijeras
- 8 palillos de madera
- Pegamento en barra
- 1 trozo de unicel o un bloque de plastilina
- Esmalte para uñas transparente o barniz para papel
- Hilo elástico
- Cuentas de plástico
- Clips

**1** Pon el papel con la cara trasera viendo hacia arriba. Con la ayuda de la regla y la pluma, coloca por toda la orilla derecha del papel una pequeña marca cada 2 centímetros. Después pon una pequeña marca a 1 centímetro de distancia de la parte superior de la orilla izquierda. Continúa a lo largo de toda la orilla izquierda con marcas cada 2 centímetros. Une las marcas como se muestra en la imagen; utiliza la regla para que las líneas queden derechas. Obtendrás 20 triángulos delgados.

1 cm

2 cm

2 cm

**2** Corta los triángulos siguiendo las líneas que trazaste. Necesitarás de 6 a 8 triángulos para elaborar una pulsera.

**3** Comenzando por la base de uno de los triángulos, enróllalo en el centro de un palillo. Antes de terminar de enrollar, aplica un poco de pegamento en los últimos 15 centímetros de papel y continúa enrollando, presiona ligeramente para que el papel se fije bien. Haz lo mismo con otros 5 o 7 triángulos para obtener las cuentas de tu pulsera.

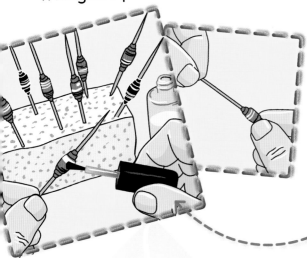

**4** Clava los palillos en el trozo de unicel o de plastilina. Cubre cada cuenta con una capa de esmalte para uñas o de barniz para papel, sin tocar los palillos; deja secar y aplica una segunda capa. Una vez que estén secas, empújalas hacia arriba, girándolas ligeramente para sacarlas de los palillos.

**5** Corta un pedazo de hilo elástico un poco más grande que la circunferencia de tu muñeca. Pon un clip en una de las orillas del elástico. Inserta por la orilla contraria las cuentas hechas con papel reciclado, alternando con las cuentas de plástico. Cierra la pulsera haciendo un nudo en las orillas del hilo elástico (ver pág. 37).

Utiliza tu imaginación para hacer diferentes estilos de pulseras, reutilizando varios tipos de papel.

# Portarrecuerdos

**D**ecora un pedazo de cartón con papel de colores o con diseños divertidos, y conviértelo en un lienzo para exhibir hermosas fotografías o dibujos. **C**uélgalo en tu recámara para mostrar tus bellas obras de arte.

**1** Recorta un rectángulo de cartón grueso de 12 x 30 centímetros, y otro de uno de los pliegos de papel de 16 x 34 centímetros. Aplica pegamento en todo el rectángulo de cartón y cúbrelo con el rectángulo de papel. Arranca 6 tiras del otro pliego de papel, cada una de 3 x 20 centímetros. Ponles pegamento en la parte trasera, y pégalas sobre el rectángulo, dejando un espacio de 3 centímetros entre cada una. Dobla el exceso de papel y pégalo en la parte trasera del rectángulo.

**2** Obtén de los dos tipos de papel 5 rectángulos de 1.5 x 8 centímetros. Aplica un poco de pegamento en barra en uno de los lados de una pinza y pega encima uno de los rectángulos de papel. Corta con las tijeras el papel sobrante para que quede del mismo tamaño que la pinza. Haz lo mismo con las 4 pinzas restantes.

**3** Corta 5 trozos de cinta adhesiva de doble cara del mismo largo que las pinzas y pégalos en la parte trasera de éstas. Pega las pinzas, con el lado donde se aprieta hacia arriba, sobre el rectángulo entre cada tira de papel.

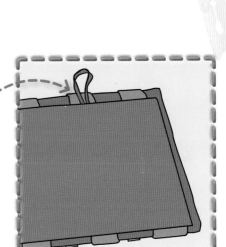

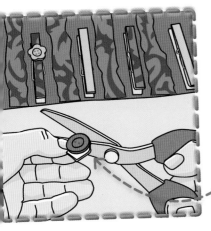

**4** Coloca un cuadrito de cinta adhesiva de doble cara en la parte trasera de los botones. Corta el exceso de cinta y pega los botones en cada pinza.

**5** Corta dos pedazos de listón de 10 centímetros de largo. Une las puntas de cada uno de los listones y amárralas con un nudo. Pega los listones en las orillas de la parte superior trasera del rectángulo. Corta un rectángulo de papel de 10 x 28 centímetros y aplícale pegamento líquido en toda la parte trasera. Pégalo sobre el rectángulo de cartón, encima de los listones. Deja secar.

También puedes colgar notas o algunos accesorios, como pulseras o collares.

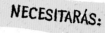

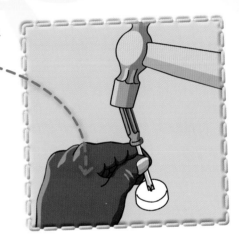

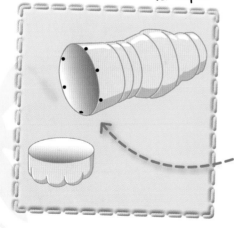

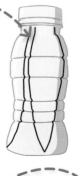

# Plastiflor

Siempre es triste tirar las flores cuando se han marchitado. ¡Afortunadamente esta hermosa flor durará por siempre!

## NECESITARÁS:

- 1 botella de plástico pequeña de entre 10 y 12 cm de alto
- Desarmador de cabeza muy pequeña
- Martillo pequeño
- Tijeras
- Plumón de punta delgada
- 1 limpiapipas
- 1 botón grande
- 1 botón mediano
- 1 brocheta de madera

**1** Retira todas las etiquetas de la botella. Pide a un adulto que haga un pequeño orificio en la tapa de la botella, colocando el desarmador en el centro de la tapa y golpeando con el martillo hasta que el desarmador atraviese la tapa. Enrosca la tapa nuevamente en la botella.

**2** Corta con mucho cuidado la base de la botella utilizando las tijeras. Desecha la base y conserva la parte superior. Marca alrededor del borde inferior de la botella seis puntos separados entre ellos a la misma distancia.

**3** Partiendo de uno de los puntos, dibuja dos líneas curvas que se dirijan a lados opuestos. Haz lo mismo con el resto de los puntos para obtener 5 pétalos más y córtalos, siguiendo las líneas que trazaste. Voltea la botella y aplasta los pétalos para que tomen la forma de una flor.

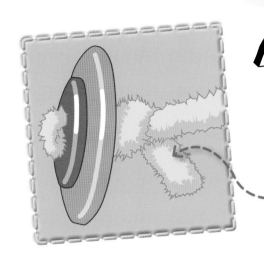

**4** Inserta el limpiapipas en uno de los orificios del botón grande y posteriormente a través del botón pequeño. Jala ligeramente el limpiapipas e insértalo por el orificio libre del botón pequeño y después a través del grande. Acomoda el limpiapipas de manera que uno de sus lados sea el doble de largo que el otro. Enrosca el lado pequeño en el largo para asegurar los botones.

**5** Pasa el limpiapipas a través del orificio de la tapa de la botella. Los botones deberán quedar alineados con la parte hueca de la tapa. Finalmente, enrosca el limpiapipas en el borde de la brocheta para hacer el tallo de la flor.

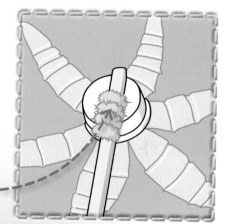

Para tener diferentes tipos de flores y armar un ramo, experimenta haciendo pétalos más pequeños o con los bordes redondeados.

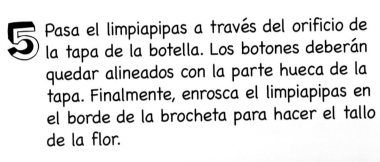

**53**

# Monstruo calcetrapo

## NECESITARÁS:

- 1 calcetín
- Tijeras
- Hilo y aguja
- Relleno para almohadas
- 2 botones
- Retazos de 2 o más calcetines viejos

Guarda todos tus calcetines viejos y aquellos con diseños divertidos o raros y conviértelos en monstruos calcetrapo.

**1** Corta el borde superior del calcetín y resérvalo. Voltea el calcetín, ponlo sobre una superficie con el talón hacia arriba. Corta la parte superior del calcetín por la mitad a lo largo; termina 1 centímetro antes de llegar al talón. Obtendrás dos tiras. Corta por la mitad a lo ancho las dos tiras. Los dos pedazos de tela sueltos serán los brazos del monstruo.

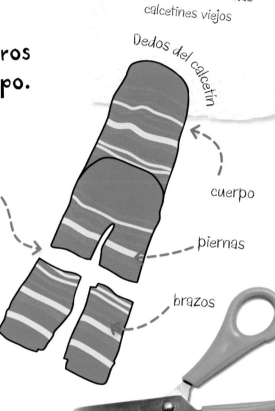

Dedos del calcetín

cuerpo

piernas

brazos

**2** Cose la orilla inferior y los lados internos de ambas piernas utilizando el punto atrás (ver pág. 37). Deja un espacio de 3 centímetros entre las piernas para poder rellenar al monstruo. Cose los dos brazos siguiendo la misma técnica y deja una de las orillas abierta para poderlos rellenar.

54

**3** Voltea al derecho el calcetín y los brazos. Rellena el calcetín, las piernas y los brazos con el relleno para almohadas. Asegúrate que no queden espacios sin relleno o poco firmes. Cose la abertura que dejaste entre las piernas con puntada de bastilla (ver pág. 37). Une, con la misma puntada, los dos brazos al cuerpo del monstruo.

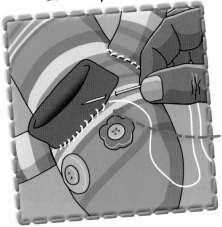

**4** Cose dos botones en la parte superior del monstruo para hacer los ojos. Para formar la boca, cose el borde del calcetín que habías reservado debajo de los ojos con puntada de bastilla.

Para hacer un divertido sombrero, corta la punta de un calcetín (donde van los dedos) y colócalo sobre su cabeza.

**5** Corta 8 tiras de retazos de calcetín, de 1 centímetro de ancho y de varios tamaños de largo. Cóselos en la cabeza del monstruo con puntadas sencillas (ver pág. 37).

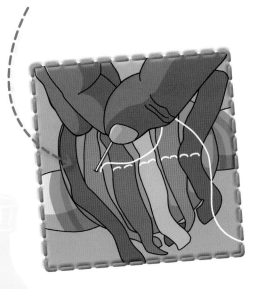

# Espirabote

Reutiliza papel viejo
y transfórmalo en un divertido
recipiente colorido. Es ideal para
guardar todos tus utensilios
para manualidades, además de
ser un excelente adorno.

### NECESITARÁS:

- Restos de papel tapiz, de correspondencia o de revistas
- Tijeras
- Cinta adhesiva
- Adhesivo vinílico o PVA (para modelos a escala)
- Pincel grueso

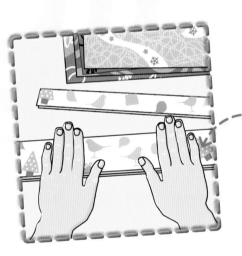

**1** Recorta 20 rectángulos de papel de 15 x 30 centímetros. Dobla por la mitad a lo largo cada rectángulo 3 veces. Coloca cinta adhesiva en las 3 orillas abiertas de cada rectángulo para que no se desdoblen. Al final tendrás 20 tiras de 2 x 30 centímetros aproximadamente.

**2** Enrolla sobre sí misma una tira de papel; aprieta en cada vuelta para que obtengas un espiral firme. Sujeta la orilla con un pedazo de cinta adhesiva.

**3** Pega con cinta adhesiva otra tira de papel al final del espiral, de manera que los bordes de ambas tiras queden alineados. Enrolla la segunda tira alrededor del primer espiral y sujeta la orilla con cinta adhesiva. Continúa haciendo más grande el espiral, repitiendo este paso con el resto de las tiras.

**4** Jala los círculos hacia arriba, de forma lenta y delicada, para lograr una forma cóncava. Tú puedes elegir si quieres que el recipiente sea recto o curvo. Asegúrate de no jalar demasiado los círculos, de lo contrario puede quedar un orificio en tu recipiente.

**5** Cubre con el adhesivo vinílico toda la superficie interna y externa del recipiente utilizando la brocha. Deja que seque por completo y aplica una segunda capa de adhesivo. Esto permitirá que el recipiente conserve su forma.

Para agregar agarraderas, pega dos espirales pequeños en lados opuestos del recipiente con cinta adhesiva.

# Prendedor floral

### ¡Decora tu ropa con estos coquetos prendedores!

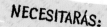

**1** Coloca el borde ancho del tazón sobre la parte trasera de la tela y marca sobre ésta la circunferencia del tazón. Corta el círculo guiándote con la línea que trazaste.

**2** Pasa un hilo de 70 centímetros de largo a través de la aguja y sujeta ambas orillas para obtener un hilo de doble hebra (ver pág. 36). Cose toda la circunferencia del círculo por la parte delantera de la tela con puntadas sencillas (ver pág. 37). Deja un espacio de medio centímetro a partir del borde.

**3** Una vez que hayas cosido toda la circunferencia, jala la aguja lentamente hasta que la tela se junte en el centro del círculo. Estira la tela con las manos, haz un punto de costura en el centro de círculo, donde los pliegues se juntaron, y remata sin cortar el hilo.

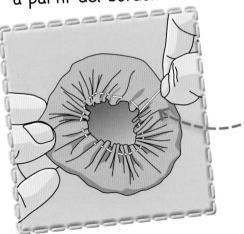

**4** Cose con el mismo hilo el botón sobre los pliegues de tela para cubrirlos. Asegúrate de que al momento de coser el botón, el hilo atraviese hasta la parte trasera del círculo antes de regresar la aguja.

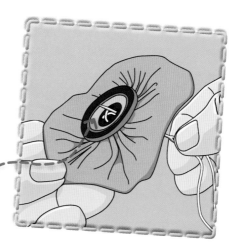

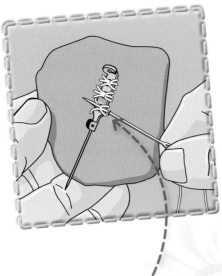

**5** Asegura el botón haciendo un nudo en la parte trasera. Sin cortar el hilo, cose el segurito a la parte trasera del círculo realizando 3 o 4 puntadas en cada orificio y remata.

Para elaborar prendedores con varias capas de tela, haz una flor más pequeña. Corta un círculo de tela de un tamaño intermedio a las dos flores y cose las tres capas.

# Moño para regalo

## Haz que tus regalos luzcan increíbles adornándolos con un maravilloso y colorido moño.

**1** Traza un rectángulo de 10 x 30 centímetros sobre la hoja y recórtalo. Haz una línea paralela a uno de los lados cortos del rectángulo, a 1 centímetro de distancia. Dobla el papel siguiendo esa línea.

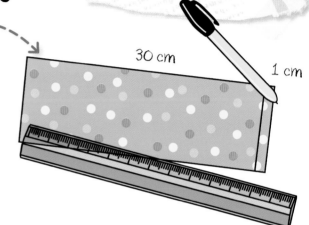

30 cm

1 cm

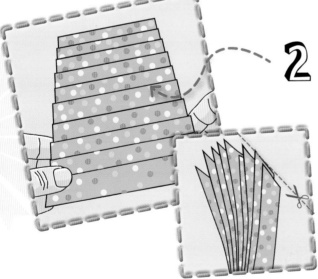

**2** Continúa haciendo dobleces de 1 centímetro de ancho alternando el sentido de los mismos hacia delante y hacia atrás; deberás obtener un acordeón. Haz un corte diagonal en los dos extremos del acordeón y dóblalo por la mitad.

**3** Coloca el botón mediano sobre el grande y ensarta el cordel por los dos orificios de ambos botones. Amarra el cordel en la parte central del acordeón y haz un nudo en la parte trasera para sujetarlo bien.

**4** Aplica pegamento en la mitad superior de uno de los lados del acordeón y únela con la mitad inferior del mismo lado; presiónalas para pegarlas. Haz lo mismo en el lado contrario para formar un círculo.

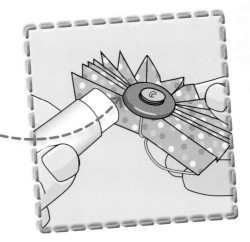

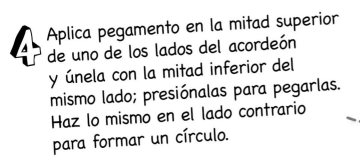

**5** Coloca un trozo de cinta adhesiva en la parte trasera del moño, donde se unen la mitades que acabas de pegar. Esto servirá para que el moño sea más resistente. Amarra el moño a tu regalo utilizando el cordel que cuelga de la parte trasera.

Otra forma en la que puedes decorar tus regalos es transformando los moños en flores. Para ello, amarra el cordel a una brocheta de madera.

# Materiales

ojillo

aguja

hilo para chaquira

En las mercerías o papelerías podrás encontrar la mayoría de los materiales que necesitarás para elaborar tus joyas, desde chaquiras, cuentas, broches y cadenas hasta hilo para bordar y estambre.

## Pegamento para decoupage o collage

Puedes comprarlo en tiendas de manualidades o en grandes papelerías. Para hacer tu propio pegamento mezcla dos partes de adhesivo vinílico (PVA) con 1 parte de agua.

chaquiras

## Chaquiras

Las puedes encontrar de varios colores y tamaños; entre mayor sea el número, menor será el tamaño de la chaquira. Para realizar las actividades en este libro puedes utilizarlas del tamaño que tú quieras, aunque entre más grandes sean, más fácil será manipularlas.

## Hilo para chaquira e hilo elástico

El hilo para chaquira es más resistente que el hilo de costura; en algunas actividades puedes sustituirlo por nylon delgado. El hilo elástico es un cordón delgado que puede estirarse y está disponible en varios colores.

## Aguja para chaquira y cuentas

Este tipo de agujas están hechas con un alambre resistente, flexible y delgado, de esta forma las chaquiras y las cuentas pueden pasar fácilmente a través del ojillo de la aguja. Puedes utilizar una aguja convencional si lo deseas, pero asegúrate de que el ojillo sea lo suficientemente pequeño para que quepa a través del orificio de la cuenta.

argollas metálicas

hilos para bordar

ganchillos

# Argollas metálicas

Las argollas son pequeños círculos de metal que puedes abrir para insertar chaquiras o cuentas y posteriormente cerrar.

cadena de
bolitas

# Cadena de bolitas

Este tipo de cadenas están elaboradas con varias esferas o eslabones pequeños de metal y son muy baratas. Puedes cortarlas fácilmente con tijeras o con un cortaúñas para ajustarlas al tamaño deseado. Normalmente se venden con un broche para cerrarlas y existen de varios colores.

# Cordones

Existen muchos tipos de cordones. Puedes comprar de cuero o imitación de cuero; los hay en diferentes colores y tamaños.

# Hilo para bordar

Existen dos tipos de hilo para bordar: uno consiste en una madeja de hilo (de una o varias tonalidades) cuyas hebras puedes separar, y el otro es un rollo de hilo de un solo color. Puedes utilizar cualquiera de los dos tipos de hilo para hacer las pulseras que te presentamos en este libro, pero evita mezclarlos en una misma actividad.

# Pegamento líquido

Utiliza cualquier tipo de pegamento líquido que sea transparente al secar. El adhesivo vinílico es ideal; puede ser aplicado en los nudos de hilo para evitar que se deshagan.

# Ganchillos

Existen varios tamaños de ganchillos. Procura utilizar el número de ganchillo que se indique en las instrucciones de cada actividad; si no te es posible, puedes sustituirlo por uno de un número más grande o un número menor.

# Broches para joyería

Es probable que en las mercerías encuentres varios tipos de broches. Elige aquellos que sean fáciles de abrir y cerrar, y que combinen bien con el diseño de la joya que estés elaborando.

broches
para
joyería

# Alambre para joyería

El grosor del alambre varía dependiendo del número que se le asigne. Entre más grande sea el número, más delgado y flexible será el alambre.

alambre
para
joyería

pegamento
líquido

# Técnicas

## Decoupage

El decoupage es una técnica que consiste en pegar trozos de papel o tela en algún objeto para forrarlo. Con esta técnica puedes elaborar cuentas (ver págs. 72 – 73) y puede ser útil para otro tipo de manualidades o actividades artísticas.

## Consejos para iniciar puntada de cadenas

Los siguientes consejos te ayudarán a elaborar las actividades de las páginas 82 a 85. Te recomendamos que practiques tu técnica para hacer nudos corredizos antes de comenzar a realizar estas actividades.

## Nudo corredizo

**1** Para comenzar a tejer y a hacer cadenas siempre tienes que hacer un nudo corredizo. Haz un bucle en una de las orillas del estambre dejando una punta de casi 10 centímetros.

Enrolla el estambre alrededor de tu dedo para hacer el bucle más fácilmente.

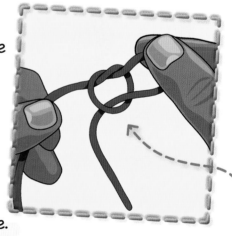

**2** Forma otro bucle con la punta del estambre y pásalo a través del primer bucle. Jálalo, deslízalo por el ganchillo o la aguja y apriétalo para asegurarlo.

# Mantén la tensión del estambre

Sujeta el ganchillo con tu mano derecha (o con la izquierda si eres zurdo). Enrolla el estambre en el dedo índice de tu mano izquierda para mantener tenso el estambre.

# Cómo hacer más filas

Para formar una primera fila sigue las instrucciones de la página 82.

**1** Para comenzar la segunda fila, inserta el ganchillo en el segundo bucle de la cadena. Jala el estambre y sácalo para obtener 2 bucles en el ganchillo.

**2** Pasa y jala el estambre a través de los 2 bucles. Repite este paso hasta terminar toda la fila.

**3** Para la tercera fila inserta el ganchillo a través de los 2 bucles superiores. Repite lo pasos 1 y 2 jalando el estambre a través de 1 bucle y luego a través de 2 bucles. Utiliza esta técnica para tejer la cantidad de filas que requieras.

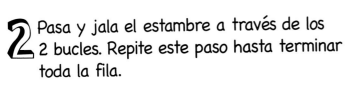

# Pulsera de la amistad

Estas pulseras son fáciles y divertidas de hacer e ideales para compartir. El diseño diagonal de esta pulsera es un clásico.

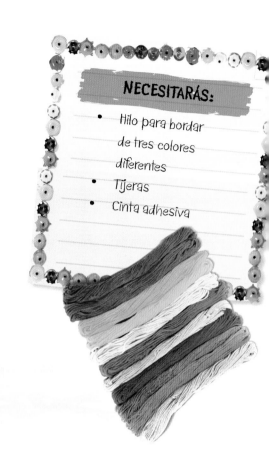

**NECESITARÁS:**

- Hilo para bordar de tres colores diferentes
- Tijeras
- Cinta adhesiva

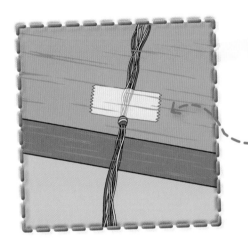

**1** Corta 2 hebras de cada uno de los colores de hil... para bordar de 30 centímetros de largo. Junta la... 6 hebras de hilo de las puntas y sujétalos con un... nudo, dejando una punta de 10 centímetros de largo. Coloca un trozo de cinta adhesiva justo por... encima del nudo y pégala en una superficie firme...

**2** Separa los hilos por colores. Sujeta los dos primeros hilos con cada una de tus manos. Pasa el hilo del lado izquierdo por encima del otro para formar un bucle con forma de "4". Pasa el primer hilo por debajo del segundo y jálalo hacia arriba a través del bucle.

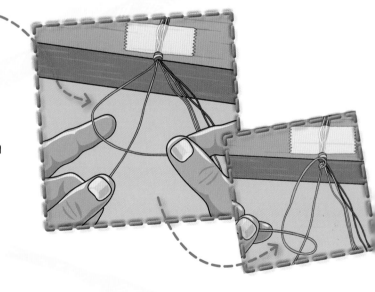

**3** Ahora que haz formado un nudo, sujeta firmemente el segundo hilo y jala el primer hilo hacia arriba con tu otra mano para apretar el nudo. Repite el paso 2 para formar otro nudo con los mismos hilos. Apriétalo para obtener un nudo doble.

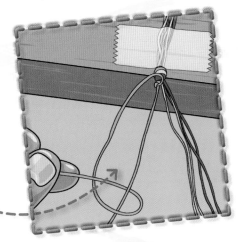

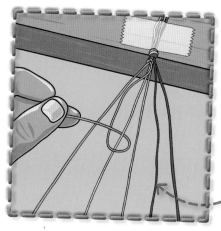

**4** Con el mismo hilo con el que has estado haciendo los nudos, realiza un nudo doble con cada uno de los 4 hilos restantes, siguiendo los pasos 2 y 3. Avanza de izquierda a derecha y asegúrate de sujetar firmemente los hilos para que estén derechos a medida que haces los nudos.

**5** El hilo con el que comenzaste a hacer los nudos deberá estar ahora en el extremo derecho. Repite los pasos 2, 3 y 4 hasta que tu pulsera tenga el tamaño adecuado, recuerda comenzar los dobles nudos con el hilo que se encuentre en el extremo izquierdo e ir avanzando hacia la derecha. Haz un nudo al final de la pulsera.

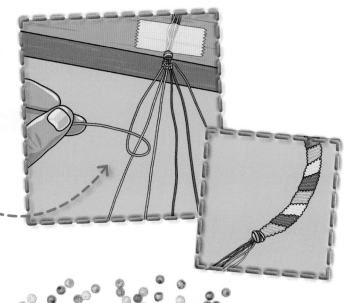

Regala una pulsera a todos tus mejores amigos para demostrarles tu afecto.

# Pulsera vuelta y vuelta

Debes hacer estas pulseras 3 o 4 veces más largas que la circunferencia de tu muñeca para poderlas enrollar varias veces.

## NECESITARÁS

- 1 o 2 m de hilo para bordar de 3 colores diferentes
- Cinta adhesiva
- Tijeras

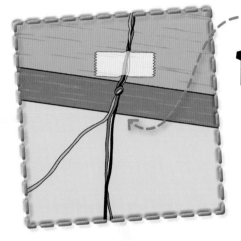

**1** Junta los 3 hilos para bordar de las puntas y sujétalos con un nudo, dejando una punta de 10 centímetros de largo. Coloca un trozo de cinta adhesiva justo por encima del nudo y pégala en una superficie firme. Separa uno de los hilos de los otros dos moviéndolo hacia la izquierda.

**2** Pasa el hilo del lado izquierdo por encima de los otros dos hilos para formar un bucle con forma de "4"; pásalo por debajo de los otros dos y jálalo hacia arriba a través del bucle para formar un nudo.

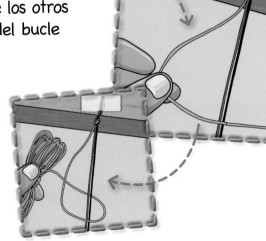

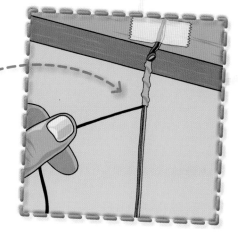

**3** Sujeta firmemente los 2 hilos y jala el primer hilo hacia arriba con tu otra mano para apretar el nudo. Repite el paso 2 para formar la cantidad de nudos que quieras.

**4** Para pasar al siguiente color, mueve hacia la derecha uno de los 2 hilos de diferente color. Repite los pasos 2 y 3.

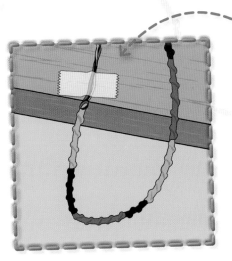

**5** Continúa haciendo nudos intercalando los colores de los hilos hasta que la pulsera tenga el tamaño que quieras. Haz un nudo al final de la pulsera y corta el exceso de hilo dejando una punta de 10 centímetros de largo para que puedas amarrarla.

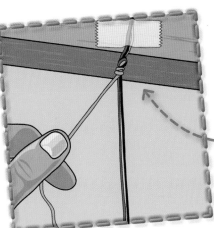

Experimenta con diferentes colores. Una vez que seas todo un experto puedes hacer pulseras con 4 o 5 colores diferentes.

# Cuentas multicolores

Puedes hacer pulseras o collares
con estas coloridas cuentas;
o bien, intercambiarlas
con tus amigos.

**NECESITARÁS**

- 1 m de hilo para bordar
- Cuentas de plástico con orificios anchos
- Pegamento líquido
- Aguja de canevá sin punta
- Tijeras

**1** Pasa el hilo por el orificio de la cuenta y haz un nudo alrededor de la cuenta. Corta la punta menos larga del hilo.

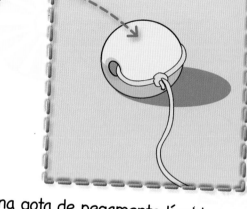

**2** Aplica una gota de pegamento líquido sobre el nudo. Mueve el hilo hacia un lado de la cuenta de manera que el nudo se esconda en el interior de la cuenta. Deja secar.

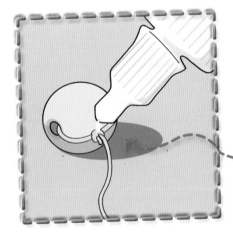

**3** Inserta el hilo en la aguja y haz un nudo en la punta. Pasa el hilo alrededor de la cuenta y a través del orificio con la ayuda de la aguja. Jala para apretar el hilo.

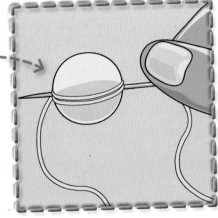

**4** Repite el paso 3 cuantas veces sea necesario hasta cubrir toda la superficie de la cuenta con el hilo. Asegúrate de jalar el hilo cada vez que lo pases por el orificio para que quede bien apretado.

**5** Haz un nudo en una de las entradas del orificio de la cuenta y apriétalo. Corta el exceso de hilo y pon una gota de pegamento líquido en el nudo. Empuja el nudo dentro del orificio con la punta de la aguja. Deja secar.

Puedes agregar una capa de otro color sobre la primera utilizando el mismo método. Para obtener una cuenta con líneas de colores, inserta dos hilos de diferentes colores en la aguja.

# Collar de decoupage

### Ésta es una excelente forma de reciclar tela vieja y convertirla en un colorido accesorio.

**1** Corta uno de los retazos de tela de manera que cubra la mitad de la circunferencia de 1 de las cuentas y posteriormente córtalo en tiras delgadas. Inserta la cuenta en la brocheta de madera.

**2** Aplica un poco de pegamento sobre la cuenta con la ayuda del pincel. Pega encima una de las tiras de tela y alísala con tu dedo. Pon un poco más de pegamento en la cuenta y pega otra tira de tela a un lado de la primera de manera que queden ligeramente sobrepuestas. Continúa agregando tiras hasta cubrir la mitad de la cuenta.

**3** Aplica más pegamento sobre toda la tela con la que cubriste la cuenta. Coloca la brocheta sobre el tazón y deja secar. Repite el paso 2 para cubrir con tela la otra mitad de la cuenta. Sigue los pasos 1, 2 y 3 para forrar las 9 cuentas restantes. Déjalas secar por completo.

**4** Corta 1 trozo de tela de 1 centímetro de ancho y 1 metro de largo. Haz un corte diagonal en una de las puntas. Ensarta las cuentas en la tela haciendo un nudo en la tela entre cada cuenta.

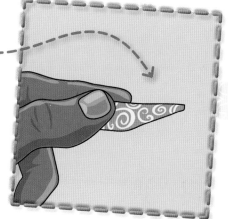

**5** Corta 6 tiras de tela de 40 centímetros de largo. Sujeta 3 tiras haciendo un nudo en una de las puntas y haz una trenza. Haz otra trenza con las tiras restantes y amarra las puntas con un nudo. Sujeta las trenzas en cada una de las puntas del collar con un nudo.

Elabora 5 cuentas más para hacer una pulsera que haga juego. Sigue el mismo procedimiento, pero en vez de hacer nudos entre cada cuenta, inserta una pequeña cuenta de madera.

# Brazalete tejido

Transforma un peine ordinario en un telar que te ayudará a tejer este increíble brazalete. Experimenta con diferentes combinaciones de colores para crear diseños únicos.

## NECESITARÁS

- 3 hilos para bordar de 65 centímetros de largo
- Peine
- Cinta adhesiva
- 1 hilo para chaquira o nylon de 1 metro de largo
- Aguja para chaquira
- Chaquiras
- Tijeras

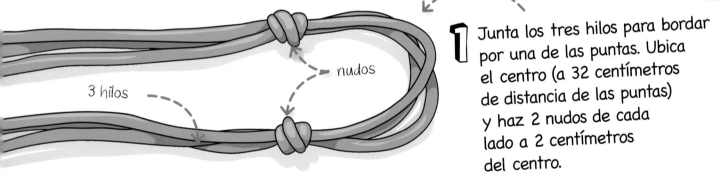

nudos

3 hilos

**1** Junta los tres hilos para bordar por una de las puntas. Ubica el centro (a 32 centímetros de distancia de las puntas) y haz 2 nudos de cada lado a 2 centímetros del centro.

**2** Pega el peine con cinta adhesiva a la orilla de una mesa con los dientes hacia arriba. Coloca los 2 nudos que hiciste con el hilo para bordar por detrás del peine y pega los hilos a la mesa encima del peine. Separa las hebras de hilo y pásalas a través de los dientes del peine.

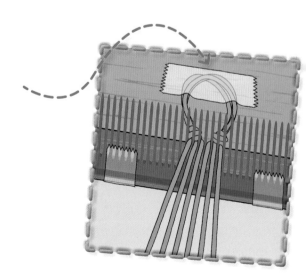

**3** Ensarta el hilo para chaquira o el nylon en la aguja y haz un nudo en la punta. Atraviesa el nudo del lado izquierdo con la aguja y jala el hilo hasta que topen ambos nudos. Inserta 5 chaquiras en la aguja.

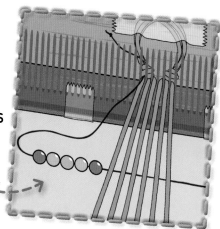

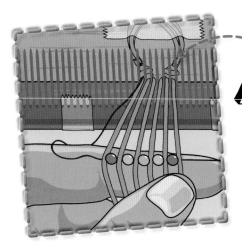

**4** Pasa la aguja por debajo de los hilos para bordar. Empuja las chaquiras con tu dedo hacia arriba y asegúrate de que cada una quede entre una hebra de hilo diferente. Pasa la aguja por encima del primer hilo para bordar (el último hilo del lado derecho) y atraviesa nuevamente las chaquiras hacia el lado opuesto. Jala el hilo para subir las chaquiras.

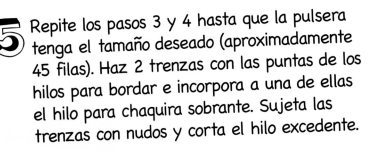

**5** Repite los pasos 3 y 4 hasta que la pulsera tenga el tamaño deseado (aproximadamente 45 filas). Haz 2 trenzas con las puntas de los hilos para bordar e incorpora a una de ellas el hilo para chaquira sobrante. Sujeta las trenzas con nudos y corta el hilo excedente.

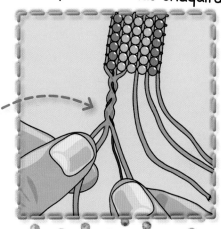

Para hacer un collar que combine con tu brazalete, sigue la misma técnica de tejido con 6 hilos más largos.

# Prendedor de chaquiras

Este prendedor es sencillo pero elegante. Puedes usar uno solo o hacer varios para usarlos juntos.

**NECESITARÁS:**

- Alambre para joyería del 24 o 28
- Segurito(s) de 3 o 4 cm
- 20 chaquiras y algunas cuentas más grandes
- Pinzas de corte o cortaúñas
- 1 argolla metálica grande

**1** Corta un trozo de alambre de 20 centímetros. Enrolla una de las puntas alrededor del orificio inferior del segurito. Asegúralo dándole 2 o 3 vueltas.

**2** Ensarta 3 o 4 chaquiras en el alambre. Después enróllalo en el lado del segurito que no se abre con 2 vueltas para fijar las cuentas en su lugar.

**3** Continúa ensartando más chaquiras con algunas cuentas grandes. Enrolla el alambre alrededor del segurito cada 3 o 4 cuentas.

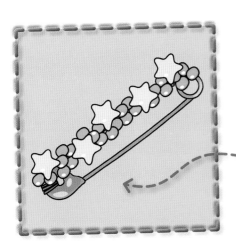

**4** Cuando llegues al final del segurito enrolla el alambre con 3 vueltas para asegurarlo. Corta el alambre sobrante.

**5** Abre la argolla metálica y ensártale algunas chaquiras. Engánchala al orificio del segurito y ciérrala.

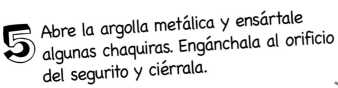

Experimenta con cuentas de diferentes colores que combinen con tu ropa favorita. ¡Además son perfectos para regalar!

# Flores para el cabello

**Nunca volverás a sufrir a la hora de peinarte con este colorido accesorio.**

**1** Dibuja un círculo de 6 centímetros de diámetro en el fieltro y recórtalo. Corta 4 ranuras de 1.5 centímetros en el círculo, separadas a una misma distancia.

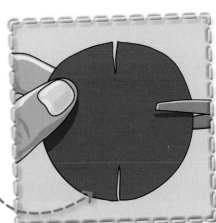

**2** Corta 4 ranuras más entre las que realizaste previamente para obtener ocho pétalos del mismo tamaño. Recorta cada pétalo de modo que se forme un semicírculo en uno de sus lados.

**3** Ensarta el hilo en la aguja y hazle un nudo en la punta. Pasa la aguja a través de la punta de cada pétalo introduciendo la aguja desde la cara interna de la flor.

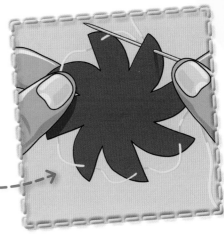

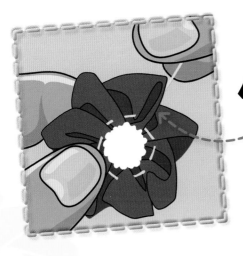

**4** Inserta finalmente la aguja a través del pétalo por el que comenzaste para terminar el círculo. Coloca la bola de algodón en el centro de la flor. Jala el hilo para que el círculo se cierre. Haz un punto de costura y remata sin cortar el hilo.

**5** Ensarta la cuenta y cósela con el mismo hilo sobre los pliegues de tela para cubrirlos. Atraviesa la flor con la aguja y cósela al elástico para el cabello. Remata y corta el hilo sobrante.

Hay muchas maneras de usar estas flores de fieltro. Puedes hacer un prendedor o coser una de estas flores a una cinta para la cabeza (ver pág. 82).

# Pulsera retorcida

Convierte una simple cadena de bolitas en un genial accesorio con un cordón e hilo para bordar. ¡Usa 2 o 3 de estas pulseras: se verán increíbles en tu muñeca!

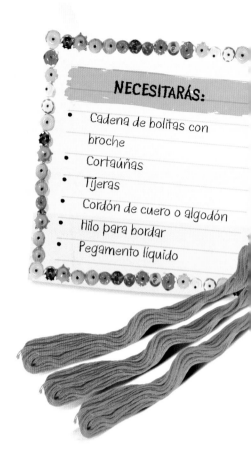

**NECESITARÁS:**

- Cadena de bolitas con broche
- Cortaúñas
- Tijeras
- Cordón de cuero o algodón
- Hilo para bordar
- Pegamento líquido

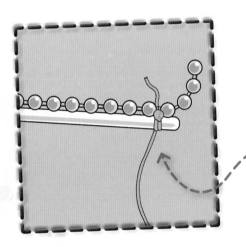

**1** Enrolla la cadena de bolitas alrededor de tu muñeca y córtala con el cortaúñas por la punta sin broche a la medida de tu muñeca. Corta el cordón 2 centímetros más pequeño que la cadena y el hilo para bordar 4 veces más largo que el cordón. Amarra la cadena y el cordón con el hilo después del segundo o tercer eslabón.

**2** Aplica una gota de pegamento líquido en el nudo. Envuelve el hilo para bordar con fuerza alrededor de la punta del cordón y de la cadena (2 o 3 eslabones).

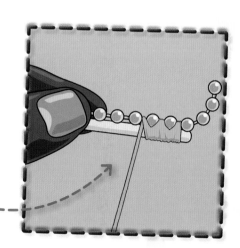

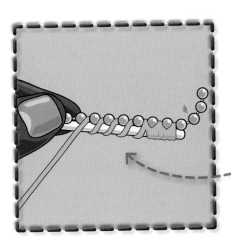

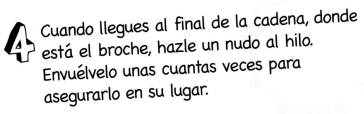

**3** Continúa enrollando el hilo alrededor de la cadena y el cordón entre cada uno de los eslabones. La cadena se torcerá naturalmente alrededor del cordón.

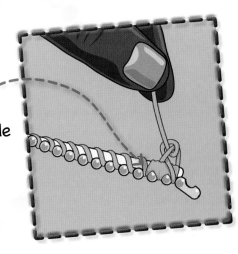

**4** Cuando llegues al final de la cadena, donde está el broche, hazle un nudo al hilo. Envuélvelo unas cuantas veces para asegurarlo en su lugar.

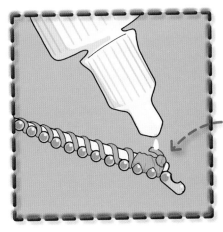

**5** Haz otro nudo con el hilo. Corta el exceso de hilo y pon una gota de pegamento.

Puedes usar la misma técnica para hacer una gargantilla; la cadena será más larga.

# Cintilla para la cabeza

Téjela con ganchillo en el color y grosor que quieras. Amárrala a tu cabeza y deslumbrarás a todos.

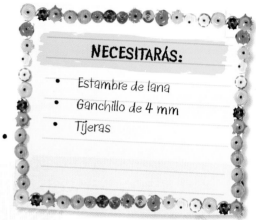

**NECESITARÁS:**

- Estambre de lana
- Ganchillo de 4 mm
- Tijeras

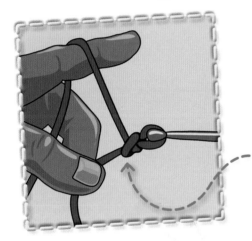

**1** Haz un nudo corredizo (ver pág. 64) con el estambre, dejando una punta de 15 centímetros. Inserta el ganchillo y aprieta el nudo hasta que se sienta un poco suelto alrededor del ganchillo. Mantén la tensión (ver pág. 65), engancha la hebra y pásala a través del bucle.

**2** Ahora tendrás un nuevo bucle en el ganchillo. Repite el paso 1 hasta que la vuelta de puntos sea casi tan larga como para rodear tu cabeza.

**3** Comienza una nueva vuelta (ver pasos 1 y 2, pág. 65). Repite el procedimiento hasta terminar la cadena.

**4** Teje todas las vueltas que necesites (ver pág. 65) dependiendo del ancho que desees que tenga tu cinta. La última vuelta que hagas deberá terminar del lado contrario de donde iniciaste. Corta el estambre dejando una punta de 15 centímetros. Remueve el ganchillo y jala la punta del estambre a través del bucle restante.

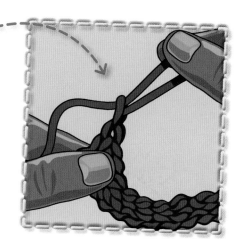

**5** Corta los excedentes de estambre de los dos extremos de la cintilla para que queden del mismo largo. Úsalos para amarrarla a tu cabeza.

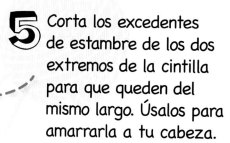

Crea un efecto de arcoíris usando estambre multicolor o agrega una flor de fieltro como la de la página 78.

# Anillos elásticos

Cuando hayas aprendido a tejer con ganchillo, no querrás parar de hacer estos coloridos anillos elásticos.

**NECESITARÁS:**

- Hilo elástico delgado
- Ganchillo de 1.5 mm
- Pegamento líquido
- Tijeras

**1** Haz un nudo corredizo con el hilo elástico (ver pág. 64) dejando una punta de 4 centímetros. Inserta el ganchillo y aprieta el hilo elástico hasta que se sienta ligeramente suelto alrededor del ganchillo. Mantén la tensión del hilo elástico (ver pág. 65) engánchalo y pásalo a través del bucle.

**2** Ahora tendrás un nuevo bucle en el ganchillo. Repite el paso 1 hasta que la vuelta de puntos sea tan larga como para rodear tu dedo.

**3** Pasa el ganchillo a través del primer bucle. Engancha el hilo elástico y pásalo a través de los dos bucles para formar un círculo.

**4** Inserta el ganchillo en el segundo bucle y pásalo sólo a través del primer bucle (ahora tendrás dos bucles en el ganchillo). Engancha el hilo elástico nuevamente y pásalo a través de los dos bucles. Haz lo mismo alrededor de todo el anillo. Agrega al menos 2 vueltas.

**5** Corta el hilo elástico después del último punto dejando una punta de 4 centímetros. Jálalo a través del bucle que está en el ganchillo. Retira el ganchillo y amarra las dos puntas por dentro del anillo. Pon una gota de pegamento líquido en el nudo y corta las 2 puntas.

*Tú puedes decidir cuán grueso quieres tu anillo agregando las vueltas que desees.*

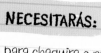

# Pulsera de tres hilos

Vas a querer usar esta pulsera todos los días. ¿Por qué no haces una para combinar con cada uno de tus atuendos favoritos?

### NECESITARÁS:

- Hilo para chaquira o nylon
- Tijeras
- 1 broche abierto
- Aguja para chaquira
- Chaquiras
- Cuentas pequeñas de plástico
- Cinta adhesiva
- Pegamento líquido

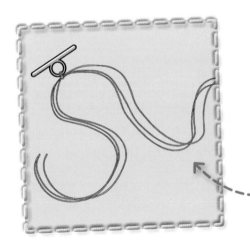

**1** Corta 3 hebras de hilo para chaquira o de nylon de 50 centímetros. Sostén los tres hilos juntos y ensártalos en uno de los lados del broche. Amarra los hilos al broche con un nudo dejando una punta de 12 centímetros.

**2** Ensarta la aguja en el lado largo de uno de los hilos. Inserta las chaquiras en el hilo una por una con la ayuda de la aguja hasta que la pulsera tenga el tamaño deseado; intercala las chaquiras con algunas cuentas para lograr el diseño que quieras. Retira la aguja y pon un pedazo de cinta adhesiva alrededor del hilo para mantener las cuentas en su lugar.

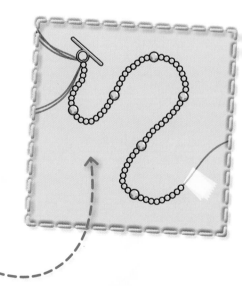

**3** Repite el paso 2 con los dos hilos restantes asegurándote de que la hilera de chaquiras y cuentas tenga el mismo tamaño en los 3 hilos. Retira las cintas adhesivas y sujeta las puntas de los 3 hilos con tus dedos.

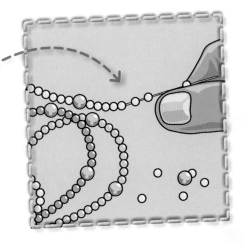

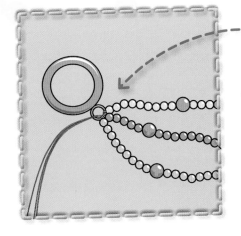

**4** Ensarta los 3 hilos juntos en la aguja. Pásala 2 veces a través del otro lado del broche y apriétalos.

**5** Inserta 3 chaquiras en los 3 hilos haciendo un nudo entre cada una. Haz un nudo final y aplícale una gota de pegamento líquido. Deja secar y corta las puntas de los hilos. Repite este paso en el otro extremo de la pulsera.

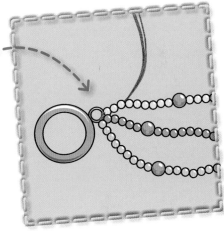

Experimenta combinando cuentas plateadas con chaquiras para agregarle brillo a tu pulsera.

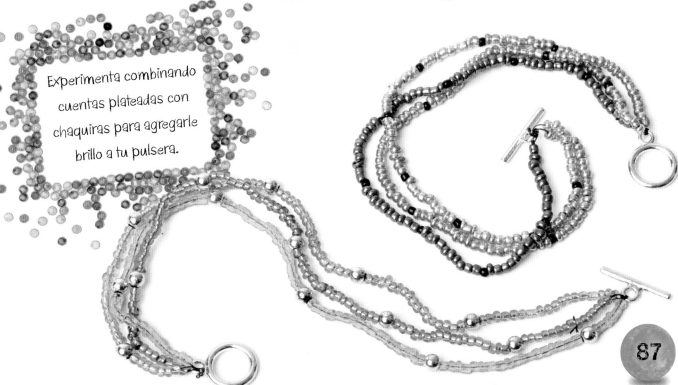

# Collar de margaritas

Usa chaquiras para hacer un collar de margaritas que podrás conservar por siempre.

## NECESITARÁS:

- Hilo para chaquira o nylon
- Tijeras
- Aguja para chaquiras
- 1 broche abierto
- Chaquiras de 3 colores distintos
- Pegamento líquido

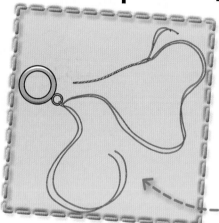

**1** Corta un trozo de hilo para chaquira o nylon 4 veces más largo que el tamaño que quieras que tenga el collar. Ensarta el hilo en la aguja, deslízala al centro del hilo y sujeta ambos extremos con un nudo. Ensarta el hilo doble en uno de los lados del broche y amárralo con un nudo dejando una punta de 10 centímetros.

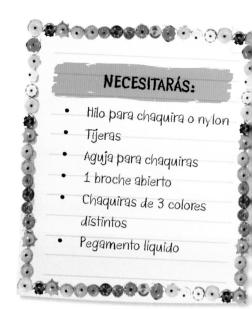

**2** Ensarta 10 chaquiras de un color en el hilo y continúa con seis de un color diferente (del color que quieras que sea la flor). Pasa la aguja a través de la primera chaquira de la flor. Jala el hilo para formar un círculo con las cuentas.

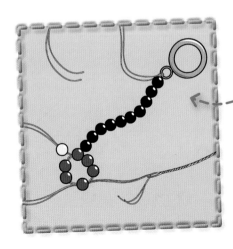

**3** Inserta 1 chaquira de un tercer color para hacer el centro de la flor. Pasa la aguja a través de la cuarta chaquira de la flor y jala para apretar la flor.

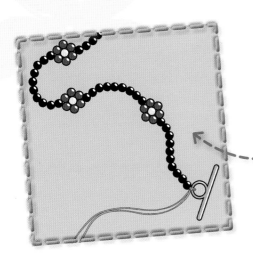

**4** Repite los pasos 2 y 3 hasta que el collar tenga el tamaño deseado. Pasa la aguja 2 veces a través del otro lado del broche y aprieta.

**5** Inserta 3 chaquiras a través de la aguja haciendo un nudo entre cada una. Haz un nudo final y aplícale una gota de pegamento líquido. Deja secar y corta la punta del hilo doble. Repite este paso en el otro extremo del collar.

Para hacer una pulsera, corta el hilo 4 veces más largo que el tamaño de tu muñeca.

# Materiales

estambre

aguja de canevá
sin punta

## Estambre

Generalmente está hilado de lana o fibras de acrílico y se pueden encontrar en muchos colores y grosores. La mayoría de los proyectos están hechos con estambre grueso o medio.

## Aguja para tejer

Se utilizan diferentes tamaños y grosores de agujas para diferentes tipos de estambre. En este libro vamos a usar de 3.25 mm, 4 mm y de 6.5 mm.

## Aguja de canevá sin punta

Son agujas gruesas con ojillo y punta chata que se utilizan para coser estambre.

## Aguja para coser e hilo

Es una aguja delgada y un hilo fino. Son ideales para coser broches y botones.

## Fieltro

Es una tela gruesa que se utiliza para agregar detalles a proyectos de tejido.

## Pluma invisible para tela

La tinta de estas plumas desaparece después de 24 horas; por eso es perfecta para hacer marcas en el fieltro. También puedes utilizar greda.

## Ganchillo

Es una varilla de metal o plástico con un pequeño gancho en la punta que resulta útil para enganchar estambre entre los espacios del tejido.

aguj
para
tejer

# Técnicas
## Cómo tejer

## Punto Musgo

Teje en derecho todas las vueltas (ver pág. 92). Ambos lados tendrán el mismo diseño.

## Punto Jersey

Teje en derecho una vuelta y en revés la siguiente (ver pág. 92). El frente tendrá una vuelta de puntos en forma de "V", y el dorso se verá como en el punto Musgo.

## Cambiar el color del estambre

En una nueva vuelta amarra la punta del nuevo estambre a la cola del anterior y empieza a tejer con el nuevo color.

## Esconder puntas sueltas

Oculta hebras sueltas de estambre pasándolas a la parte trasera del tejido con una aguja de canevá sin punta.

# Montar

**1** Haz un bucle de estambre. Pasa otro bucle igual a través del primero e insértalo en una aguja. Apriétalo.

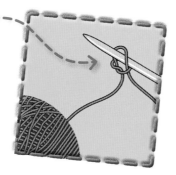

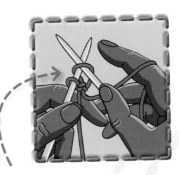

**2** Inserta la punta de la aguja derecha por enfrente del bucle y por detrás de la otra aguja.

**3** Enrolla el estambre por debajo y sobre la punta de la aguja derecha.

**4** Jala el estambre con la aguja derecha a través del punto formando un bucle.

**5** Inserta la aguja izquierda detrás del bucle para formar un segundo punto.

**6** Repite los pasos 2 a 5 hasta que tengas el número requerido de puntos.

# Rematar

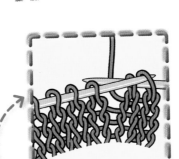

**1** Teje dos puntos derechos. Inserta la aguja izquierda en el primer punto, levántalo y jálalo sobre el segundo punto.

**2** Teje el siguiente punto derecho. Levanta el primer punto sobre el segundo. Repite hasta que sólo quede un punto sobre tu aguja derecha. Corta el estambre y jala la punta a través del último punto.

# Punto derecho

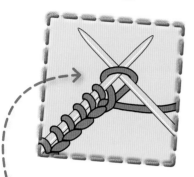

1 Inserta la punta de la aguja derecha por delante del primer punto del frente hacia atrás.

2 Enrolla el estambre sobre la punta de la aguja derecha.

3 Con la aguja derech jala el estambre través del punto par crear un bucle. Desli el punto fuera de la aguja izquierda. Repite.

# Punto revés

1 Sostén la aguja con puntos en tu mano izquierda. Inserta la punta de tu aguja derecha en el primer punto desde atrás hacia el frente.

**Tejer 2 derechos juntos**
Se hace igual que un punto derecho. Inserta la aguja derecha a través de dos puntos. Enrolla el estambre como lo harías normalmente, jálalo a través de los puntos y deslizalo fuera de la aguja.

2 Pasa el estambre alrededor de la punta de la aguja derecha de derecha a izquierda.

3 Con la aguja derecha jala el estambre a través del punto para crear un bucle.

4 Desliza la aguja izquierda fuera del punto. Ahora tienes un revés hecho en tu aguja derecha.

# Cómo coser

## Puntada sencilla

Pasa la aguja con hilo a través de la tela de arriba hacia abajo; pásala de vuelta de abajo hacia arriba, adelante de donde iniciaste. Repite los pasos anteriores. Las costuras en ambos lados de la tela tendrán el mismo largo y formarán una línea recta.

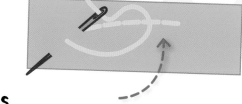

## Punto por encima

Junta las dos orillas de las telas que vas a unir. Atraviésalas con la aguja, lleva el hilo a la parte superior y vuelve a atravesar.

## Punto atrás

Haz una puntada sencilla y luego da una puntada hacia atrás e introduce la aguja por donde iniciaste. Saca la aguja, avanza de dos puntadas (tomando en cuenta el espacio que ocupa la primera puntada que hiciste y avanzando una más). Repite haciendo una puntada hacia atrás insertando la aguja en donde terminó la puntada previa.

# Cómo tejer un cuadro de tensión

Para algunos diseños de este libro se sugiere que tejas un cuadrado de tensión antes de comenzar. Esto te ayudará a verificar si tu pieza tejida tendrá el tamaño correcto.

Teje un cuadro ligeramente mayor a 10 x 10 centímetros. Sigue el patrón del cuadro de tensión, luego cuenta cuántos puntos en "V" hay horizontalmente y cuántos verticalmente en un área de 10 x 10 centímetros.

Esto te proporcionará la muestra de tensión, por ejemplo: 24 puntos x 30 filas (o vueltas).

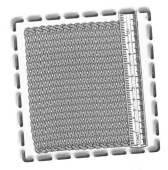
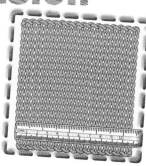

Si tienes más puntos y filas en el cuadro que en tu patrón modelo necesitarás agujas más grandes. Si tienes menos puntos y filas que en la muestra usa agujas más pequeñas.

# Bolso floral

## Utiliza el punto de estrella para decorar este útil bolso tejido.

**COMIENZA Aquí**

## Patrón de tejido

EL ARTÍCULO TERMINADO COLOCADO EN PLANO MIDE: 10 × 8 cm

INICIO: monta 24 puntos con el estambre rojo.

SIGUIENTE: teje en derecho cada vuelta hasta que tu pieza mida 20 cm (punto Musgo, ver pág. 90).

FINAL: remata.

### PUNTO DE ESTRELLA

Pasa de abajo a arriba la aguja en el punto 1 y reinsértala en el punto 2. Pasa de abajo arriba en el punto 3, reinsértala en el punto 4; así sucesivamente.

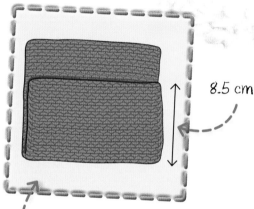

8.5 cm

**1** Mide 8.5 centímetros desde el remate y dobla la pieza tejida sobre sí misma para formar el cuerpo de la bolsa.

**2** Dobla hacia abajo la solapa superior. Usa la aguja de canevá y el estambre amarillo para coser el botón grande en el centro.

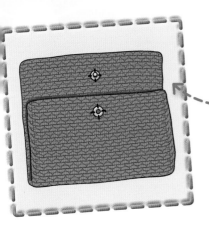

**3** Ensarta el hilo rojo en la aguja para coser y cose la parte superior del broche de presión en el dorso de la solapa justo bajo el botón. Cose la parte inferior del broche de presión en el cuerpo de la bolsa de modo que ambas partes del broche se alineen.

**4** Borda un punto de estrella grande con estambre naranja doble y otros dos pequeños en el frente del bolso. Cose los botones pequeños al centro de cada estrella usando el hilo amarillo.

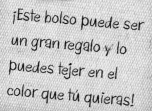

**5** Fija con alfileres las partes laterales de la bolsa. Usa el estambre rojo para unirlas con un punto por encima (ver pág. 93). Esconde las puntas sueltas. Retira los alfileres.

¡Este bolso puede ser un gran regalo y lo puedes tejer en el color que tú quieras!

# Funda para celular

## Mantén tu teléfono seguro con esta linda y elegante cubierta.

## Patrón de tejido

### NECESITARÁS:

- Estambre de grosor medio color azul
- Agujas para tejer de 4 mm
- Cinta métrica
- 1 botón amarillo
- Aguja de canevá sin punta
- Un poco de estambre de grosor medio color amarillo
- Hilo negro
- Aguja para coser
- 1 broche de presión de 15 mm
- Un poco de estambre de grosor medio color blanco
- Alfileres de cabeza redonda
- Tijeras

EL ARTÍCULO TERMINADO COLOCADO EN PLANO MIDE: 8 x 12 cm

### FUNDA PARA CELULAR:

INICIO: monta 19 puntos con el estambre azul.

SIGUIENTE: teje en derecho cada vuelta hasta que tu pieza mida 20 cm (punto Musgo, ver pág. 90).

FINAL: remata.

### CORREA (OPCIONAL):

INICIO: monta 4 puntos con el estambre azul.

SIGUIENTE: teje en derecho cada vuelta hasta que tu pieza mida 20 cm.

FINAL: remata.

### PUNTO DE MARGARITA

Pasa de abajo a arriba la aguja y haz un pequeño bucle. Reinserta la aguja en el siguiente punto. Vuelve a sacarla por dentro de la parte superior del bucle y haz un punto pequeño para sostenerlo en su lugar. Repite para cada pétalo.

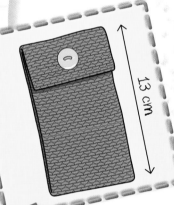

13 cm

**1** Mide 13 centímetros desde el remate y dobla la pieza tejida sobre sí misma hacia arriba. Dobla la solapa hacia abajo y cose el botón amarillo en el centro con la aguja de canevá y el estambre amarillo.

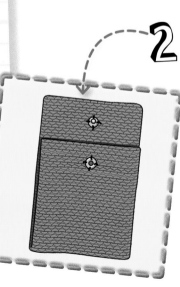

**2** Ensarta el hilo negro en l aguja para coser y cose la parte superior del broche de presión en el dorso de la solapa justo bajo el botón. Cose la parte inferior del broche de presión en el cuerpo la bolsa de modo que ambas partes del broche se alineen.

**3** Usa el estambre blanco y la aguja de canevá para bordar los pétalos de una flor alrededor del botón amarillo usando el punto de margarita.

**4** Fija las partes laterales de la funda con alfileres. Únelas con un punto por encima (ver pág. 93). Retira los alfileres.

**5** Fija con alfileres las puntas de la correa a los lados de la funda. Únelas con un punto por encima con estambre azul. Esconde todas las puntas sueltas y retira los alfileres.

Puedes coser una figura de fieltro u otra tela sobre la funda en lugar de bordar la flor. Cose otro detalle, como un par de ojos.

# Prendedor
## bicolor

Estiliza tu atuendo con este prendedor. Puedes tejerlo en uno o dos colores.

COMIENZA AQUÍ

## Patrón de tejido

EL ARTÍCULO TERMINADO MIDE: 5 × 5 cm

**PRENDEDOR BICOLOR:**

INICIO: monta 60 puntos con uno de los estambres (color A). Corta el estambre a 30 cm de distancia de la aguja para tejer.

SIGUIENTE: júntalo con el estambre del otro color (color B). (Ver pág. 90.) Teje en derecho 5 vueltas.

6ª vuelta: teje 2 derechos juntos (ver pág. 92). Repite hasta terminar la vuelta. (Quedan 30 puntos.)

7ª vuelta: Teje del mismo modo que en la vuelta anterior. (Quedan 15 puntos.)

FINAL: remata. Deja una punta de 60 cm para coserlo. Para tejer un prendedor de un solo color sigue el mismo patrón, pero no cortes la hebra ni agregues el otro estambre.

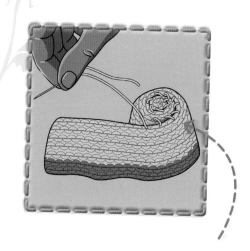

**1** Ensarta la cola del estambre color B en la aguja de canevá. Con el remate boca arriba enrolla el tejido. Mientras lo enrolla zúrcelo por la orilla con un punto por encima (ver pág. 93). Esconde la punta suelta. Voltea la pieza y pasa la punta del estambre color A a través de la parte posterior del ramillete.

**2** Dibuja una figura en forma de hoja en un pedazo de papel. Recórtala y úsala como plantilla para cortar dos hojas de fieltro. Dibuja las nervaduras en las hojas usando la pluma invisible o la greda.

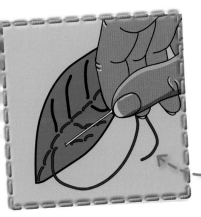

**3** Corta el hilo para bordar para tener dos juegos de 3 hebras cada uno. Ensártalos en la aguja para bordar y borda sobre las nervaduras de las hojas utilizando punto atrás (ver pág. 93).

**4** Cose las hojas con hilo y aguja para bordar en la parte de atrás del prendedor tejido utilizando punto por encima.

**5** Utilizando la aguja de canevá y el estambre suelto del paso 1 haz un punto por encima para fijar el segurito al prendedor. Esconde las puntas sueltas.

ecora sombreros y ropa on estos prendedores para arles un toque único.

# Cojín decorado

Este cojín miniatura es fácil de tejer y puede servir como un lindo regalo.

**COMIENZA Aquí**

## Patrón de tejido

### PATRÓN DEL CUADRO DE TENSIÓN:

Teje un cuadro de tensión (ver pág. 93), montando 18 puntos y tejiendo 24 vueltas con punto Jersey (ver pág. 90).

Muestra de tensión: 14 puntos x 19 vueltas

EL ARTÍCULO TERMINADO COLOCADO EN PLANO MIDE: 25.5 x 25.5 cm

### COJÍN:

INICIO: monta 36 puntos con el estambre rosa.

SIGUIENTE: teje con punto Jersey (ver pág. 90) hasta que tu pieza mida 74 cm.

FINAL: remata.

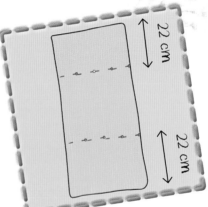

22 cm

22 cm

**1** Marca 2 líneas rectas con alfileres a 22 centímetros de las orillas superio[r] e inferior del tejido. Esto te indicará el cuadrado en donde vas a bordar las flores.

**2** Dibuja una flor de 8 x 8 centímetros en un papel y recórtala. Marca la flor 2 veces sobre el fieltro rosa oscuro y 1 vez sobre el fieltro rosa claro; recorta las flores.

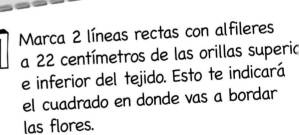

**3** Fija las flores con alfileres en la parte superior del cuadrado que marcaste. Cose un botón en el centro de cada flor con un poco de estambre de grosor medio y una aguja de canevá. Asegúrate de atravesar el tejido mientras coses y retira los alfileres que sujetan las flores.

**4** Borda los tallos y las hojas de cada flor usando el estambre grueso color verde limón utilizando punto atrás (ver pág. 93). Retira todos los alfileres.

**5** Dobla la parte superior del tejido hacia atrás a partir de donde estaba la marca de alfileres (el frente quedará por dentro). Fija con alfileres y une las orillas laterales con estambre rosa y una aguja de canevá usando punto por encima (ver pág. 93). Repite lo anterior con la parte inferior del tejido. Retira los alfileres y esconde las puntas sueltas. Voltea el cojín de adentro hacia fuera e introduce el trozo de hule espuma.

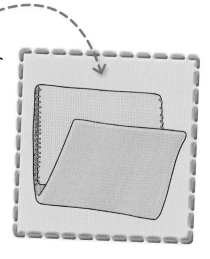

Usa fieltro y estambre para crear cualquier figura o diseño. Puede ser un pez en el mar o cualquier patrón divertido.

# Bufanda con cuentas

Complementa esta sencilla bufanda con flecos y cuentas.

## NECESITARÁS:

- 2 bolas de estambre grueso de color azul turquesa de 100 g / 137 m
- Agujas para tejer de 6.5 mm
- Cinta métrica
- 1 bola de estambre grueso de color verde limón de 100 g / 137 m
- Ganchillo de 6.5 mm
- Cuentas de diferentes tipos y tamaños
- Aguja de canevá sin punta
- Tijeras

COMIENZA AQUÍ

## Patrón de tejido

### PATRÓN DEL CUADRO DE TENSIÓN:

Teje un cuadro de tensión (ver pág. 93) montando 16 puntos y tejiendo 25 vueltas con punto Musgo (ver pág. 90).

Muestra de tensión: 12 puntos × 21 vueltas

EL ARTÍCULO TERMINADO COLOCADO EN PLANO MIDE: 15 × 150 cm (sin contar los flecos)

### BUFANDA CON CUENTAS:

INICIO: monta 20 puntos con el estambre color turquesa.

SIGUIENTE: teje la pieza con punto Musgo (ver pág. 90) hasta que mida 150 cm.

FINAL: remata. Esconde las puntas sueltas.

Usa el patrón de tejido de la página 105 para hacer un gorro que combine.

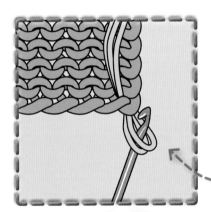

**1** Corta 38 hebras de 70 centímetros de estambre color verde limón. Sujeta 2 hebras y dóblalas a la mitad formando un bucle. Usa el ganchillo para introducir el bucle entre el primer y el segundo punto "V" de la bufanda.

**2** Ensarta las puntas de las hebras dentro del bucle que hiciste y jala para apretar.

**3** Haz lo mismo en los 18 espacios restantes. Repite los pasos 1 a 3 en el lado contrario de la bufanda.

**4** Haz un nudo en un fleco y ensarta una cuenta usando la aguja de canevá. Haz otro nudo bajo la cuenta para asegurarla en su sitio.

**5** Agrega la cantidad de cuentas que desees y luego corta con las tijeras todos los flecos a la misma altura.

Agrega un color diferente de estambre (ver pág. 90) para hacer una bufanda rayada con los colores de tu equipo deportivo favorito.

# Gorrito de oso

### Nunca querrás salir de casa sin este amiguito peludo.

## NECESITARÁS:

- Una bola de estambre grueso de color beige de 100 g / 137 m
- Agujas para tejer de 6.5 mm
- Cinta métrica
- Tijeras, papel y lápiz
- Aguja de canevá sin punta
- Cartulina
- Una bola de estambre grueso de color café de 100 g / 137 m
- Fieltros color blanco y negro
- Alfileres de cabeza redonda
- Un poco de estambre de grosor medio color blanco
- Hilo negro
- Hilo blanco
- Un poco de estambre de grosor medio color negro

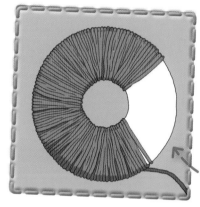

**1** Corta dos anillos de cartulina de 4.5 centímetros de diámetro y júntalos. Enrolla el estambre café alrededor de ellos hasta que el orificio del centro esté muy ajustado.

**2** Corta el estambre pasando la tijera entre los dos anillos y alrededor de la circunferencia. Corta un trozo de estambre y deslízalo entre los círculos, amárralo firmemente alrededor del centro de pompón que será la oreja. Retira los círculos de cartulina. Haz la otra oreja del mismo modo y cóselas al gorrito.

**3** Dibuja los ojos, la boca y la nariz en un papel. Úsalos como plantillas para cortar las formas en fieltro. Fíjalas con alfileres al gorrito y cose las figuras blancas con el estambre blanco usando punto por encima (ver pág. 93) y cose encima las figuras negras con el hilo negro. Retira los alfileres.

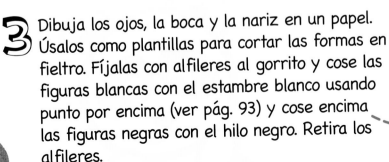

# Patrón de tejido

## PATRÓN DEL CUADRO DE TENSIÓN:

Teje un cuadro de tensión (ver pág. 93) montando 18 puntos y tejiendo 24 vueltas con punto Jersey (ver pág. 90).

Muestra de tensión: 14 puntos × 19 vueltas

EL ARTÍCULO TERMINADO MIDE: 53 cm de circunferencia

## GORRITO DE OSO:

INICIO: monta 66 puntos con el estambre color beige.

1ª vuelta: teje 2 derechos y dos reveses. Repite hasta que termines la vuelta. Teje dos derechos.

2ª vuelta: teje 2 reveses y 2 derechos. Repite hasta terminar la vuelta. Teje 2 reveses.

3ª y 4ª vuelta: teje repitiendo los pasos 1 y 2.

Siguiente: teje 16 vueltas o 9 centímetros de punto Jersey. Termina con una vuelta con reveses únicamente. Si deseas un gorro más grande agrega vueltas en múltiplos de dos.

Reducción

1ª vuelta: teje 6 derechos, teje 2 derechos juntos (ver pág. 92). Repite 8 veces. Teje 2 derechos. (Quedan 58 puntos.)

2ª vuelta: teje una vuelta de reveses y haz lo mismo con todas las vueltas pares (4, 6, 8, 10, 12, 14).

3ª vuelta: teje 5 derechos, teje 2 derechos juntos. Repite 8 veces. Teje 2 derechos. (Quedan 50 puntos.)

5ª vuelta: teje 4 derechos, teje 2 derechos juntos. Repite 8 veces. Teje 2 derechos juntos. (Quedan 42 puntos.)

7ª vuelta: teje 3 derechos, teje 2 derechos juntos. Repite 8 veces. Teje dos derechos. (Quedan 34 puntos.)

9ª vuelta: teje 2 derechos, teje 2 derechos juntos. Repite 8 veces. Teje 2 derechos. (Quedan 26 puntos.)

11ª vuelta: Teje 1 derecho, teje 2 derechos juntos. Repite 8 veces. Teje 2 derechos. (Quedan 18 puntos.)

13ª vuelta: Teje 2 derechos juntos. Repite hasta que termines la vuelta. (Quedan 9 puntos.)

FINAL: Corta la hebra a 30 cm de distancia de la aguja. Ensarta la punta en la aguja de canevá y pasa cada punto de tu aguja de tejer a la aguja de canevá. Luego pasa la hebra a través para tensarla. Esconde las puntas sueltas (ver pág. 90).

Borda un par de puntos con hilo blanco en el centro de cada ojo. Borda los detalles de la boca con estambre negro usando punto atrás (ver pág. 93).

# Gorrito

## Este gorrito de conejito se verá muy lindo con tu desayuno.

**1** Voltea el gorrito de adentro hacia fuera. Cose las orillas con un punto por encima con estambre azul y la aguja de canevá (ver pág. 93). Esconde las puntas sueltas.

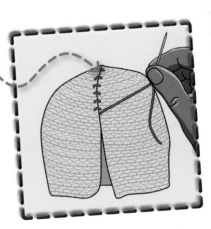

**2** Voltea de regreso el gorrito de modo que la costura quede por dentro. Pellizca las orillas planas de las orejas y fíjalas al gorrito con alfileres. Usa la punta del estambre para zurcirlas en su lugar.

**3** Ensarta un poco de estambre negro en la aguja de canevá y borda 2 ojos con 2 puntos por encima. Borda 3 puntos atrás para la boca (ver pág. 93). Borda la nariz con estambre rosa con dos puntos por encima.

# Patrón de tejido

EL ARTÍCULO TERMINADO COLOCADO EN PLANO
MIDE: 6 x 10 cm (incluyendo las orejas)

## GORRITO:

INICIO: monta 42 puntos con el estambre azul claro.

SIGUIENTE: teje 20 vueltas con punto Jersey (ver pág. 90).

REDUCIR:

21ª vuelta: teje 1 derecho, teje 2 derechos juntos. Repite hasta terminar la vuelta. (Quedan 28 puntos.)

22ª vuelta: teje esta vuelta con puntos de revés únicamente.

23ª vuelta: teje 2 derechos juntos. Repite hasta terminar la vuelta. (Quedan 14 puntos.)

24ª vuelta: teje esta vuelta con puntos de revés únicamente.

FINAL: jala la hebra a través de los puntos (ver pág. 105).

## OREJAS (TEJE 2 PIEZAS):

INICIO: monta 10 puntos con el estambre azul claro.

SIGUIENTE: teje 12 vueltas con punto Jersey.

13ª vuelta: teje 1 derecho, teje 2 derechos juntos. Teje 4 derechos, teje 2 derechos juntos. Teje 1 derecho. (Quedan 8 puntos.)

14ª vuelta: teje esta vuelta con puntos de revés únicamente. Haz lo mismo con el resto de las vueltas pares (16 y 18).

15ª vuelta: teje 1 derecho, teje 2 derechos juntos. Teje 2 derechos, teje 2 derechos juntos. Teje 1 derecho. (Quedan 6 puntos.)

17ª vuelta: Teje 1 derecho, teje 2 derechos juntos dos veces. Teje 1 derecho. (Quedan 4 puntos.)

19ª vuelta: Teje 2 derechos juntos dos veces. (Quedan 2 puntos.)

FINAL: jala la hebra a través de los puntos.

Haz un pollito usando estambre amarillo. Recorta un pico y dos alas de fieltro amarillo y cóselos al cubrehuevos con hilo amarillo.

# Funda para tazas

Mantén tus bebidas calientes con esta funda tejida para tazas personalizada.

## NECESITARÁS:

- Un poco de estambre de grosor medio de color rosa claro
- Agujas para tejer de 4 mm
- Alfileres de cabeza redonda
- Cinta métrica
- 1 taza
- Lápiz, papel y tijeras
- Regla
- Fieltro de color rojo
- Un poco de estambre de grosor medio de color crema
- Aguja de canevá sin punta

**COMIENZA AQUÍ**

## Patrón de tejido

EL ARTÍCULO TERMINADO COLOCADO EN PLANO MIDE: 26 × 9 cm (se ajusta a una taza promedio de 26 × 10 cm)

INICIO: monta 58 puntos con el estambre color rosa claro.

1ª vuelta: teje 1 derecho, teje 1 revés. Repite hasta terminar la vuelta.

SIGUIENTE: repite los pasos de la 1ª vuelta hasta que tu pieza mida 9 cm.

FINAL: remata.

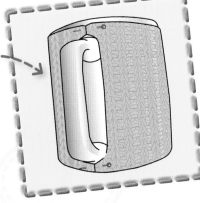

**1** Envuelve la taza con el tejido de manera que los dos extremos se junten alrededor del asa de la taza. Sujeta ambos extremos con alfileres por arriba y por debajo del asa.

**2** Dibuja un corazón en un papel de 6 × 7 centímetros. Córtalo y fíjalo con un alfiler en el fieltro rojo.

**3** Recorta un corazón de fieltro rojo siguiendo los bordes del corazón de papel. Fíjalo con alfileres en la funda.

**4** Retira con cuidado los alfileres que sujetan la tela a la taza. Cose el corazón a la funda con una puntada sencilla (ver pág. 93) usando el estambre color crema y la aguja de canevá. Retira los alfileres.

**5** Voltea la funda de adentro hacia fuera y vuelve a juntar la parte superior y la inferior con alfileres. Con el estambre color crema y la aguja, haz en ambos extremos un punto por encima de 1 centímetro (ver pág. 93). Esconde las puntas sueltas. Voltea la funda a su posición correcta.

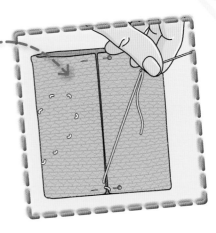

Puedes usar fieltro para crear cualquier diseño. ¿Qué tal una mariposa o una estrella? O incluso podría ser la primera letra de tu nombre.

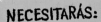

# Mini bolso de mano

## Completa tu atuendo con este elegante bolso de mano en miniatura.

**NECESITARÁS:**

- 1 bola de estambre de grosor medio de color lila, de 100 g / 280 m
- Agujas para tejer de 4 mm
- 1 bola de estambre de grosor medio de color azul, de 50 g / 140 m
- Cinta métrica
- Alfileres de cabeza redonda
- Aguja de canevá sin punta
- Lápiz, papel y tijeras
- Fieltro de color morado
- 1 botón

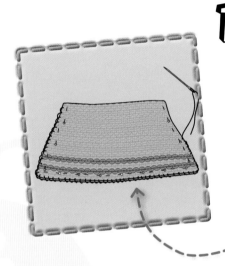

**1** Coloca los dos lados derechos del bolso mirando hacia adentro y júntalos colocando alfileres en las orillas de las dos piezas de tejido. Ensarta un poco de estambre lila en la aguja de canevá; cose los bordes inferiores y los 2 bordes laterales con punto por encima (ver pág. 93). Retira los alfileres y voltea la bolsa de adentro hacia fuera.

**2** Fija las asas a la bolsa con alfileres. Ensarta un poco de estambre azul en la aguja de canevá y cóselas con punto atrás. Retira los alfileres.

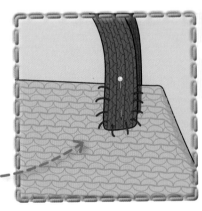

**3** Dibuja una flor de unos 8 x 8 centímetros en un papel. Úsala como plantilla para recortar una flor de fieltro morado. Fíjala con alfileres a un costado de la bolsa. Cose el botón en el fieltro y a través de la bolsa. Retira los alfileres.

# Patrón de tejido

EL ARTÍCULO TERMINADO COLOCADO EN PLANO MIDE: 22 × 23 cm (sin incluir las asas)

. . . . . . . . . . . . . . . . . . . . . . . . . . . .

## LADOS DEL BOLSO (TEJE 2 PIEZAS):

INICIO: monta 44 puntos con el estambre color lila.

1ª a 6ª vuelta: teje 6 vueltas con punto Musgo (ver pág. 90).

REDUCCIÓN:

7ª vuelta: (lado derecho) junta el estambre lila con estambre azul. Teje 2 derechos, teje 2 derechos juntos. Teje derechos en los últimos 4 puntos, teje 2 derechos juntos, teje 2 derechos. (Quedan 42 puntos.)

8ª vuelta: teje esta vuelta con derechos únicamente. Corta la hebra a 30 cm de distancia de la aguja.

9ª a 12ª vuelta: junta el estambre azul con el estambre lila y teje 5 vueltas de derechos.

13ª y 14ª vuelta: teje como en la 7ª y 8ª vuelta. (Quedan 40 puntos.)

15ª a 18ª vuelta: teje como en la 9ª a 12ª vuelta.

19ª vuelta: teje 2 derechos, teje 2 derechos juntos.

Teje derechos en los últimos 4 puntos, teje 2 derechos juntos, teje 2 derechos. (Quedan 38 puntos.)

20ª a 24ª vuelta: teje 5 vueltas con derechos únicamente.

25ª a 30ª vuelta: teje como en la 19ª a la 24ª vuelta. (Quedan 36 puntos.)

31ª a 36ª vuelta: teje como en la 19ª a la 24ª vuelta. (Quedan 34 puntos.)

37ª a 42ª vuelta: teje como en la 19ª a la 24ª vuelta. (Quedan 32 puntos.)

FINAL: remata.

. . . . . . . . . . . . . . . . . . . . . . . . . . . .

## ASAS (TEJE 2 PIEZAS):

INICIO: monta 7 puntos con el estambre azul.

1ª vuelta: teje 1 derecho, teje 1 revés. Repite hasta terminar la vuelta. Termina con 1 derecho.

SIGUIENTE: repite el tejido como en la 1ª vuelta hasta que tu pieza mida 32 cm.

FINAL: remata.

Para convertir tu bolsa de mano en una elegante cartera no agregues asas; en su lugar, cose 2 broches de presión en la parte interior y cubre los puntos con un botón, con una cuenta o con fieltro.

# Calentadores a rayas

**Mantén tus manos y muñecas calientes con estos acogedores guantes sin dedos.**

## NECESITARÁS:

- 1 bola de estambre de grosor medio de color rosa claro, de 100 g / 280 m
- 1 bola de estambre de grosor medio de color azul turquesa de 50 g /140 m
- Agujas para tejer de 4 mm
- Cinta métrica
- Tijeras
- Alfileres de cabeza redonda
- Aguja de canevá sin punta

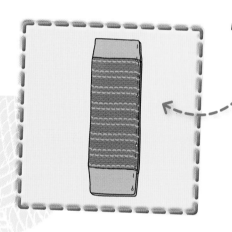

**1** Toma una de las piezas tejidas y dóblala sobre sí misma para que el lado derecho mire hacia adentro. Junta con alfileres las dos orillas. Repite con la otra pieza.

**2** Zurce un punto por encima (ver pág. 93) de 5 centímetros en la parte superior de la primera pieza. Esconde la punta. Deja 5 centímetros de la costura abierta para formar el orificio del pulgar. Zurce un punto por encima (ver pág. 93) de 10 centímetros en la parte inferior. Repite este paso con la pieza restante.

5 cm

10 cm

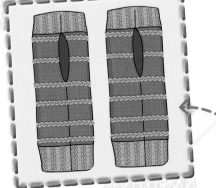

**3** Retira los alfileres de las piezas. Esconde las puntas sueltas y voltea los calentadores de adentro hacia fuera a su posición correcta.

# Patrón de tejido

## PATRÓN DEL CUADRO DE TENSIÓN:

Teje un cuadro de tensión (ver pág. 93) montando 26 puntos y tejiendo 32 vueltas con punto Jersey (ver pág. 90).

Muestra de tensión: 22 puntos × 28 vueltas

EL ARTÍCULO TERMINADO COLOCADO EN PLANO MIDE: 9 × 20 cm (o 10 × 20 cm)

## CALENTADOR DE MANO (TEJE 2 PIEZAS):

INICIO: monta 38 puntos (42 para manos más grandes) con el estambre color rosa claro.

CORDONCILLO:

1ª vuelta: teje 2 derechos, teje 2 reveces. Repite hasta terminar la vuelta.

2ª vuelta: teje 2 reveces, teje 2 derechos. Repite hasta terminar la vuelta.

3ª a 10ª vuelta: teje como en la 1ª y 2ª vuelta cuatro veces.

11ª a 12ª vuelta: teje 2 derechos. Corta la hebra dejando 30 cm de punta para terminar.

PATRÓN PRINCIPAL:

13ª a 16ª vuelta: junta el estambre rosa con el estambre azul turquesa (ver pág. 90) y teje 4 vueltas en punto Jersey. No cortes la hebra.

17ª y 18ª vuelta: junta con el estambre rosa claro y teje dos vueltas de derechos únicamente. Corta la hebra dejando 30 cm para terminar.

REPETICIÓN DEL PATRÓN:

19ª a 22ª: toma la hebra turquesa y teje 4 vueltas en punto Jersey. No cortes la hebra.

23ª y 24ª vuelta: junta con el estambre rosa y teje 2 vueltas de derechos únicamente. Corta la hebra dejando 30 cm para terminar.

25ª a 54ª vuelta: Repite las vueltas 19ª a 24ª 5 veces. No cortes la hebra en la 54ª vuelta.

CORDONCILLO:

Teje como en la 1ª y 2ª vuelta (tres veces). (60 vueltas trabajadas.)

FINAL: remata.

¡Los calentadores de mano son ideales si tienes las manos frías pero necesitas usar tu dedos!

# Cinta para la cabeza

## ¡Esta elegante cinta para la cabeza se ve genial y mantiene tus orejas calientitas!

**COMIENZA Aquí**

## Patrón de tejido

### PATRÓN DEL CUADRO DE TENSIÓN:

Teje un cuadro de tensión (ver pág. 93) montando 16 puntos y tejiendo 25 vueltas en punto Jersey (ver pág. 90).

Muestra de tensión: 22 puntos × 28 vueltas

### EL ARTÍCULO TERMINADO MIDE:

Mide la circunferencia de tu cabeza y teje una pieza 2 cm más corta. La pieza medirá como máximo 53 cm.

### CINTA PARA LA CABEZA:

INICIO: monta 22 puntos con el estambre azul.

1ª vuelta: teje en derecho toda la vuelta. (Éste será el lado derecho o externo).

2ª vuelta: teje 3 derechos, teje 16 reveces, teje 3 derechos.

SIGUIENTE: repite la 1ª y 2ª vuelta hasta que tu pieza alcance la longitud deseada.

FINAL: remata. Corta la hebra dejando una punta de 50 cm para tejer la costura.

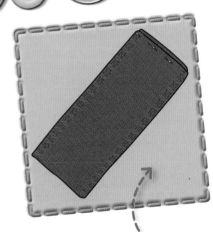

**1** Dobla sobre sí misma la tela para que el lado externo mire hacia adentro y fija las orillas cortas de la cinta con un alfiler.

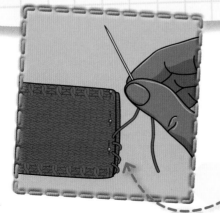

**2** Cose toda la orilla con punto por encima con un poco de estambre azul y la aguja de canevá (ver pág. 93). Esconde las puntas sueltas. Retira los alfileres y voltea el tejido de adentro hacia fuera.

**3** Ensarta el listón en la aguja de canevá y cóselo alrededor de la banda con puntada sencilla (ver pág. 93); comienza por la orilla que cosiste. Asegúrate de coser el listón justo por debajo de la línea texturizada que recorre los bordes inferior y superior de la cinta.

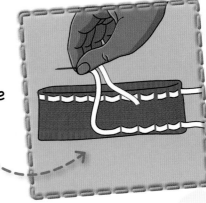

**4** Ata la banda alrededor de tu cabeza con las puntas del listón. Quítate la banda de la cabeza.

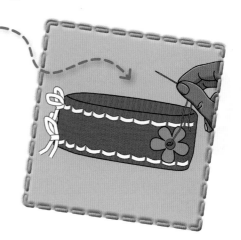

**5** Dibuja una flor de 8 x 8 centímetros en un papel. Usa el dibujo como plantilla para cortar la figura en el fieltro morado. Fija la flor a la cinta con alfileres. Cose el botón a la flor y la banda con un poco de estambre blanco. Retira los alfileres y esconde las puntas sueltas.

Esta cinta lucirá bien en cualquier color. Diviértete haciendo combinaciones con flores de fieltro de distintos colores.

# Pingüinito acolchonado

## ¡Este abrazable pingüino se verá genial junto a tu cama!

**NECESITARÁS:**

- Un poco de estambre de grosor medio de color crema
- Agujas para tejer de 3.25 m
- Cinta métrica
- Un poco de estambre de grosor medio de color negro
- Alfileres de cabeza redonda
- Aguja de canevá sin punta
- Guata
- Lápiz, papel y tijeras
- Fieltros blanco y amarillo
- Hilo amarillo

**1** Dobla la tela sobre sí misma de modo que el lado externo mire hacia adentro. Quedará una costura en el centro. Sujétala con alfileres y únela con un poco de estambre y la aguja de canevá con un punto por encima (ver pág. 93). Retira los alfileres.

**2** Alrededor del remate haz una puntada sencilla (ver pág. 93) utilizando el estambre negro que quedó de punta. Jala la hebra firmemente para amarrar la tela. Zurce las orillas y la punta de la hebra.

**3** Voltea la tela de adentro hacia fuera. Rellena con guata. Repite el paso 2 del lado color crema.

ojos

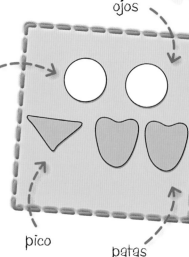

**4** Dibuja en un papel 2 círculos para hacer los ojos, 1 triángulo para hacer el pico y 2 patas. Úsalos como plantillas para recortar las formas en el fieltro.

pico

patas

# Patrón de tejido

EL ARTÍCULO TERMINADO MIDE: 8 × 13 cm

## CABEZA Y CUERPO:

INICIO: monta 50 puntos con el estambre color crema. Teje con punto Jersey (ver pág. 90) hasta que la pieza mida 9 cm. Termina con una vuelta de reveces. Corta la hebra a 30 cm de distancia de la aguja.

SIGUIENTE: junta el estambre color crema con el estambre negro. Teje con punto Jersey hasta que la pieza mida 13 cm. Termina con una vuelta con puntos de revés únicamente.

FINAL: remata.

## ALAS (TEJE 2 PIEZAS):

INICIO: monta 9 puntos con el estambre negro.

1ª a 14ª vuelta: teje 14 vueltas con punto Jersey.

REDUCIR:

15ª vuelta: teje un derecho, teje 2 derechos juntos, teje 3 derechos, teje 2 derechos juntos, teje 1 derecho. (Quedan 7 puntos.)

16ª vuelta: teje una vuelta completa de reveces. Haz lo mismo con todas las vueltas pares (18 y 20).

17ª vuelta: teje 1 derecho, teje 2 derechos juntos, teje 1 derecho, teje 2 derechos juntos, teje 1 derecho. (Quedan 5 puntos.)

19ª vuelta: teje 2 derechos juntos, teje 1 derecho, teje 2 derechos juntos. (Quedan 3 puntos.)

21ª vuelta: teje 2 derechos juntos, teje 1 derecho. (Quedan 2 puntos.)

FINAL: jala la hebra a través de los puntos (ver pág. 105).

**5** Cose los ojos de fieltro en el pingüino usando dos puntos de puntos atrás (ver pág. 93). Cose las alas, el pico y las patas con puntos por encima. Esconde las puntas sueltas.

Para hacer un muñeco cuadrado como este búho, sáltate los pasos 2 y 3. Haz la costura a lo largo del remate. Amarra varias hebras de estambre para hacer las orejas.

# índice

# índice

# índice